Le Grand Livre
des
Contes célèbres

Le Grand Livre des Contes célèbres

Illustrations d'Annie-Claude Martin

NATHAN

Sommaire

Les contes d'Andersen ont été traduits par D. Soldi, E. Grégoire et L. Moland.
Les contes de Grimm ont été traduits par Max Buchon.
Les contes populaires russes ont été traduits par H. Issertis et B. Auroy.

Le Petit Chaperon rouge

Il était une fois une petite fille de village, la plus jolie qu'on eût su voir ; sa Mère en était folle, et sa Mère-grand plus folle encore. Cette bonne femme lui fit faire un petit chaperon rouge, qui lui seyait si bien, que partout on l'appelait le Petit Chaperon rouge.

Un jour sa Mère, ayant cuit et fait des galettes, lui dit :

– Va voir comme se porte ta Mère-grand, car on m'a dit qu'elle était malade, porte-lui une galette et ce petit pot de beurre.

Le Petit Chaperon rouge partit aussitôt pour aller chez sa Mère-grand, qui demeurait dans un autre village. En passant dans un bois, elle rencontra compère le Loup, qui eut bien envie de la manger ; mais il n'osa, à cause de quelques bûcherons qui étaient dans la forêt. Il lui demanda où elle allait ; la pauvre enfant, qui ne savait pas qu'il est dangereux de s'arrêter à écouter un Loup, lui dit :

– Je vais voir ma Mère-grand, et lui porter une galette avec un petit pot de beurre que ma Mère lui envoie.

– Demeure-t-elle bien loin ? lui dit le Loup.

– Oh ! oui, dit le Petit Chaperon rouge, c'est par-delà le moulin que vous voyez tout là-bas, là-bas, à la première maison du village.

– Eh bien, dit le Loup, je veux l'aller voir aussi ; je m'y en vais par ce chemin-ci, et toi par ce chemin-là, et nous verrons qui plus tôt y sera.

Le Loup se mit à courir de toute sa force par le chemin qui était le plus court, et la petite fille s'en alla par le chemin le plus long, s'amusant à cueillir des noisettes, à courir après des papillons, et à faire des bouquets des petites fleurs qu'elle rencontrait. Le Loup ne fut pas longtemps à arriver à la maison de la Mère-grand.

Il heurta à la porte :

– Toc, toc.

– Qui est là ?

– C'est votre fille le Petit Chaperon rouge (dit le Loup, en contrefaisant sa voix) qui vous apporte une galette et un petit pot de beurre que ma Mère vous envoie.

La bonne Mère-grand, qui était dans son lit à cause qu'elle se trouvait un peu mal, lui cria :

– Tire la chevillette, la bobinette cherra.

Le Loup tira la chevillette, et la porte s'ouvrit. Il se jeta sur la bonne femme, et la dévora en moins de rien ; car il y avait plus de trois jours qu'il n'avait mangé. Ensuite il ferma la porte, et s'alla coucher dans le lit de la Mère-grand, en attendant le Petit Chaperon rouge, qui, quelque temps après, vint heurter à la porte.

– Toc, toc.

– Qui est là ?

Le Petit Chaperon rouge, qui entendit la grosse voix du Loup, eut peur d'abord, mais croyant que sa Mère-grand était enrhumée, répondit :

– C'est votre fille le Petit Chaperon rouge, qui vous apporte une galette et un petit pot de beurre que ma Mère vous envoie.

Le Loup lui cria en adoucissant un peu sa voix :

– Tire la chevillette, la bobinette cherra.

Le Petit Chaperon rouge tira la chevillette, et la porte s'ouvrit. Le Loup, la voyant entrer, lui dit en se cachant dans le lit sous la couverture :

– Mets la galette et le petit pot de beurre sur la huche, et viens te coucher avec moi.

Le Petit Chaperon rouge se déshabille, et va se mettre dans le lit, où elle fut bien étonnée de voir comment sa Mère-grand était faite en son déshabillé.

Elle lui dit :

– Ma Mère-grand, que vous avez de grands bras !

– C'est pour mieux t'embrasser, ma fille.

– Ma Mère-grand, que vous avez de grandes jambes !

– C'est pour mieux courir, mon enfant.

– Ma Mère-grand, que vous avez de grandes oreilles !

– C'est pour mieux écouter, mon enfant.

– Ma Mère-grand, que vous avez de grands yeux !

– C'est pour mieux voir, mon enfant.

– Ma Mère-grand, que vous avez de grandes dents !

– C'est pour te manger.

Et, en disant ces mots, ce méchant Loup se jeta sur le Petit Chaperon rouge, et la mangea.

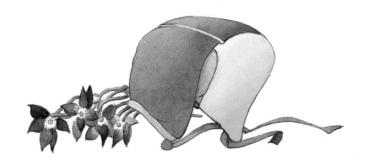

Neige-Blanche
et Rose-Rouge

Une pauvre veuve habitait seule dans une cabane, et, devant cette cabane, il y avait un jardin dans lequel se trouvaient deux rosiers. L'un portait une rose blanche et l'autre une rose rouge. Et elle avait deux filles qui ressemblaient aux deux rosiers : l'une s'appelait Neige-Blanche et l'autre Rose-Rouge.

Or, elles étaient si pieuses et bonnes, si travailleuses et dociles, que jamais on n'en avait vu de telles au monde ; seulement Neige-Blanche était plus douce et plus paisible que Rose-Rouge. Rose-Rouge aimait à courir les champs et les prés, cueillant des fleurs et chassant les papillons, tandis que Neige-Blanche restait près de sa mère à la maison, à l'aider au ménage et à lui faire la lecture, quand la besogne était faite.

Les deux enfants s'aimaient tant qu'elles se tenaient toujours par la main quand elles sortaient, et quand Neige-Blanche disait : « Nous ne nous quitterons jamais », Rose-Rouge répondait : « Non, jamais de la vie. » Puis la mère ajoutait : « Quand l'une a quelque chose, il faut qu'elle le partage avec l'autre. »

Souvent, elles se promenaient dans la forêt, cueillant des fruits rouges ; mais pas une bête ne leur faisait de mal, et, au contraire, elles s'approchaient d'elles en toute confiance. Le lièvre mangeait le trèfle dans leurs mains ; le chevreuil broutait à leur côté ; le cerf cabriolait devant elles ; les oiseaux restaient perchés sur leurs branches à leur chanter tout ce qu'ils savaient.

Jamais aucun accident ne leur arrivait. Quand elles s'étaient attardées dans la forêt et que la nuit les surprenait, elles se couchaient l'une contre l'autre dans la mousse et dormaient jusqu'au matin, et la mère, sachant cela, ne se faisait jamais de souci à leur sujet.

Une fois qu'elles avaient passé la nuit dans la forêt et que l'aurore les réveillait, elles virent près d'elles un bel enfant en robe blanche éclatante, qui était debout et les regardait très amicalement, mais sans rien dire, et qui entra ensuite dans la forêt. Alors, regardant autour d'elles, elles reconnurent qu'elles avaient passé la nuit au bord d'un abîme ; elles y seraient certainement tombées, si elles avaient fait deux pas de plus dans l'obscurité. Et leur mère leur dit que ce devait être l'ange protecteur des enfants sages.

Neige-Blanche et Rose-Rouge tenaient si propre la cabane de leur mère que c'était un plaisir de regarder dedans. En été, Rose-Rouge faisait le ménage ; tous les matins, avant que sa mère fût réveillée, elle mettait devant son lit un bouquet de fleurs dans lequel se trouvait une rose de chaque rosier. En hiver, Neige-Blanche allumait le feu, pendait le chaudron à la crémaillère, et ce chaudron de cuivre était brillant comme de l'or, tant il était bien nettoyé.

Le soir, quand les flocons de neige tombaient, la mère disait :

– Neige-Blanche, va pousser le verrou.

Alors, elles s'asseyaient autour du foyer ; la mère mettait ses lunettes et faisait la lecture dans un grand livre. Les deux jeunes filles écoutaient, assises à filer ; auprès d'elles un petit agneau était couché sur le sol, et derrière elles dormait sur son perchoir une tourterelle blanche, la tête cachée sous son aile.

Un soir qu'elles étaient tranquillement assises ensemble, on frappa à la porte.

– Rose-Rouge, ouvre vite, dit la mère. C'est sans doute un voyageur qui cherche un abri.

Rose-Rouge alla tirer le verrou, supposant que c'était un pauvre homme, mais il n'en était rien ;

c'était un ours qui passa sa grosse tête noire à travers la porte. Rose-Rouge se retira en poussant de grands cris, l'agneau bêla, la tourterelle se mit à voltiger, et Neige-Blanche se cacha derrière le lit de sa mère.

Mais l'ours se mit à parler et dit :

– N'ayez pas peur, je ne vous ferai aucun mal. Je suis à moitié gelé, et je voudrais seulement me réchauffer un peu !

– Pauvre ours, dit la mère. Couche-toi près du feu et prends garde de ne pas brûler ta fourrure.

Puis elle dit :

– Neige-Blanche, Rose-Rouge ; venez, mes enfants ; l'ours ne vous fera pas de mal. Il n'a que de bonnes intentions.

Elles s'approchèrent donc toutes deux ; peu à peu, l'agneau et la tourterelle s'approchèrent aussi et n'eurent plus peur de lui.

L'ours dit :

– Mes enfants, secouez un peu la neige qui est sur ma fourrure.

Elles allèrent chercher le balai, et nettoyèrent la peau de l'ours ; puis il s'étendit près du feu en grommelant d'aise et de plaisir. Bientôt, elles furent toutes rassurées et se mirent à taquiner cet hôte si lourdaud en lui tirant son poil à pleine main, en mettant leurs petits pieds sur son dos, en le roulant de côté et d'autre, en le battant à coups de baguette, et en éclatant de rire quand il grognait.

L'ours se laissait faire ; seulement quand cela devenait trop violent, l'ours disait :

– Mes enfants, laissez-moi en vie :

Neige-Blanche, Rose-Rouge !
Ne tuez pas votre fiancé !

Quand arriva le moment de se coucher, et que les autres allèrent au lit, la mère dit à l'ours :

– Tu peux rester couché là, près du foyer, à la garde de Dieu ; tu seras à l'abri du froid et du mauvais temps.

Au point du jour, les deux enfants le laissèrent sortir comme il le demandait, et il regagna la forêt en trottant sur la neige. Dès lors, il revint tous les soirs, à heure fixe, se coucher près du foyer, et laissa les enfants s'amuser avec lui tout à leur aise ; elles étaient si bien habituées à lui qu'on ne verrouillait plus la porte avant que le noir camarade fût rentré.

Quand arriva le printemps et que tout fut vert au-dehors, l'ours dit un matin à Neige-Blanche :

– Maintenant, il faut que je parte, et je ne reviendrai plus de tout l'été.

– Et où vas-tu donc, cher ours ? demanda Neige-Blanche.

– Il faut que j'aille dans la forêt protéger mes trésors contre les méchants gnomes. En hiver, quand la terre est bien gelée, ils sont obligés de rester dessous, et ne peuvent la percer ; mais, maintenant, comme le soleil réchauffe la terre, ils font des trous, remontent à la surface et cherchent à voler. Tout ce qui tombe entre leurs mains, ils l'emportent dans leurs cavernes et le font disparaître à jamais.

Neige-Blanche, toute triste de ce départ, lui déverrouilla la porte ; mais, en sortant, l'ours s'accrocha au loquet ; un morceau de sa fourrure s'y déchira, et il sembla à Neige-Blanche qu'elle avait vu étinceler de l'or à travers, mais elle n'en était pas bien sûre.

Cependant, l'ours était parti au plus vite et eut bientôt disparu derrière les arbres.

Quelque temps après, la mère envoya les enfants au bois pour y ramasser des brindilles. Elles trouvèrent dehors un grand arbre étendu sur le sol, et, autour du tronc, il sautillait quelque chose çà et là dans les herbes, mais elles ne pouvaient distinguer ce que c'était.

En approchant, elles virent que c'était un gnome ; il avait une vieille figure ridée, et une barbe blanche d'un pied de long. Le bout de cette barbe était pris dans une fente de l'arbre, et le petit homme sautait, de-ci, de-là, comme un petit chien en laisse, sans savoir comment se tirer de là.

Il regarda fixement les jeunes filles de ses deux yeux enflammés et s'écria :

– Que faites-vous là, debout ? Ne pouvez-vous donc venir m'aider ?

– Petit homme, que fais-tu donc là ? lui demanda Rose-Rouge.

– Oie curieuse et stupide que tu es ! répondit le gnome ; j'ai voulu fendre cet arbre pour avoir du petit bois de cuisine, parce que les grosses bûches font aussitôt brûler les petits plats que nous mangeons, nous autres, qui ne sommes pas des goulus comme vous. J'ai bien fait entrer le coin dedans, et tout serait allé à merveille, mais ce maudit coin était trop glissant ; il a sauté inopinément, et l'arbre s'est refermé si vite que je n'ai plus pu en retirer ma belle barbe blanche. Maintenant, elle est prise et je ne puis m'en aller. Les voilà qui rient maintenant, ces deux vilaines figures de lait ! Fi, que vous êtes vilaines !

Les enfants firent tous leurs efforts pour dégager la barbe, mais cela leur fut impossible ; elle tenait trop bien.

– Je vais courir chercher du monde, dit Rose-Rouge.

– Stupides têtes de mouton que vous êtes ! grogna le gnome. À quoi bon aller chercher du monde ? Vous êtes déjà ici deux de trop. Ne trouvez-vous rien de mieux ?

– Ne vous impatientez pas, reprit Neige-Blanche. Nous en viendrons à bout.

Et, tirant ses petits ciseaux de sa poche, elle coupa le bout de la barbe. Aussitôt que le gnome se sentit libre, il prit un sac rempli d'or qui était caché dans les racines de l'arbre et l'emporta en grommelant :

– Quelle race grossière qui se permet de couper un bout de ma superbe barbe ! Que le diable vous en tienne compte !

Puis il jeta le sac sur son dos, et partit sans même regarder ces enfants une seule fois.

Quelque temps après, Neige-Blanche et Rose-Rouge voulurent aller pêcher des poissons. Arrivées au bord du ruisseau, elles virent une espèce de grande sauterelle qui sautait à côté de l'eau, comme si elle voulait s'y élancer.

Elles coururent par là et reconnurent le gnome.

– Où vas-tu donc ? dit Rose-Rouge ; tu ne veux pourtant pas sauter dans l'eau ?

– Pas si bête ! répondit le gnome. Ne voyez-vous pas ce poisson enchanté qui veut m'attirer dedans ?

Le petit homme était venu s'asseoir pour pêcher à la ligne. Malheureusement, un coup de vent avait entortillé sa barbe avec la corde de la ligne, juste au moment où un gros poisson était venu y mordre, et le pauvre petit vieux n'avait plus la force de la retirer. Le poisson était le maître et entraînait vers lui le gnome. Ce dernier se retenait à tous les brins d'herbe et à tous les joncs, mais rien n'y faisait. Il était obligé de suivre les mouvements du poisson, continuellement en danger d'être attiré dans l'eau. Les jeunes filles arrivaient à temps. Elles le retinrent et essayèrent de dégager la barbe de la corde, mais en vain ; la barbe et la corde étaient solidement entortillées l'une avec l'autre. Il ne restait plus qu'à sortir les ciseaux et à couper la barbe, dont une bonne partie se trouva perdue.

En voyant cela, le gnome se mit à crier :

– Faut-il être stupide pour profaner ainsi la figure d'un homme ! Ce n'est pas assez de m'avoir déjà écourté ma barbe par le bout, maintenant vous

m'enlevez ce qu'il y a de mieux, et je n'oserai plus me montrer parmi les miens. Puissiez-vous aller au diable, en perdant la semelle de vos souliers !

Puis il prit un sac de perles qui était caché dans les roseaux, et, sans dire un mot de plus, alla se cacher derrière une pierre.

Il advint que, peu après, la mère envoya les deux jeunes filles à la ville acheter du fil, des aiguilles, de la tresse et des rubans. Le chemin traversait une lande couverte çà et là de grands rochers.

Là, elles virent dans l'air un grand oiseau planer et tournoyer lentement au-dessus d'elles, descendant toujours davantage, et fondant enfin tout près derrière un rocher. Aussitôt, elles entendirent un cri perçant. Elles accoururent et virent avec effroi que l'aigle avait saisi le gnome, leur vieille connaissance, et voulait l'emporter.

Les enfants compatissantes retinrent solidement le petit gnome, et luttèrent si longtemps contre l'aigle qu'il fut obligé d'abandonner sa proie.

Quand le gnome fut revenu de son premier effroi, il cria de sa voix perçante :

– Ne pouviez-vous pas y aller un peu plus poliment ? Vous avez si bien tiraillé ma petite robe qu'elle est maintenant tout en lambeaux, vilaines maladroites que vous êtes !

Puis il prit un sac de pierres précieuses et se glissa sous les rochers, dans sa caverne.

Les jeunes filles étaient habituées à son ingratitude. Elles continuèrent leur route et allèrent faire leurs courses à la ville. Au retour, alors qu'elles retraversaient la lande, elles surprirent le gnome qui avait vidé son sac de pierres précieuses dans un endroit bien propre.

Il ne supposait pas que, si tard, quelqu'un pût encore venir. Le soleil couchant faisait étinceler ces pierres, reflétant mille couleurs, si bien que les enfants s'arrêtèrent pour les regarder.

– Qu'avez-vous à dévorer ainsi des yeux, avec vos figures de singes ? demanda-t-il.

Et sa figure grisâtre devenait rouge comme du feu. Il voulait les chasser avec des insultes, quand un grognement violent se fit entendre, et un ours noir sortit au trot de la forêt.

Le gnome effrayé fit un saut, mais il ne put arriver à sa cachette, car l'ours était déjà près de lui. Alors il se mit à crier avec angoisse :

– Cher seigneur ours, épargnez-moi. Je vous donnerai tous mes trésors ; voyez les belles pierres précieuses que voilà. Accordez-moi la vie. Que feriez-vous d'un pauvre petit gaillard comme moi ? Vous ne me sentiriez pas entre vos dents. Prenez plutôt ces deux maudites fillettes ; ce sera pour vous un fin morceau ; elles sont grasses comme des cailles. Mangez-les, pour l'amour de Dieu !

Sans s'inquiéter de ces paroles, l'ours donna un seul coup de patte à la méchante créature qui ne bougea plus.

Les jeunes filles s'étaient enfuies, mais l'ours les rappela :

– Neige-Blanche et Rose-Rouge, ne vous effrayez pas. Attendez-moi, je vais avec vous.

Elles reconnurent alors sa voix et s'arrêtèrent ; quand l'ours fut près d'elles, sa peau d'ours tomba tout à coup, et il était là, debout, sous la forme d'un jeune homme, tout habillé d'or.

– Je suis un fils de roi, dit-il. J'avais été enchanté par ce maudit gnome qui m'avait volé mes trésors, et obligé de courir les bois sous la forme d'un ours sauvage, jusqu'à ce que je fusse délivré par sa mort. Maintenant il a reçu la punition qu'il méritait.

Neige-Blanche fut mariée avec lui, et Rose-Rouge avec son frère, et ils partagèrent entre eux les immenses trésors que le gnome avait enfouis dans sa caverne. La vieille mère vécut encore de longues années, paisible et heureuse près de ses enfants. Elle transplanta les deux rosiers sous sa fenêtre, et tous les ans, ils portaient les plus belles roses blanches et rouges.

Hansel et Gretel

Sur la lisière d'un grand bois vivait un pauvre bûcheron avec sa femme et ses deux enfants. Le petit garçon s'appelait Hansel et la petite fille Gretel. Dans cette pauvre famille, il y avait d'ordinaire peu de chose à manger. Une grande famine survint un jour dans le pays, et le bûcheron ne gagna plus son pain quotidien.

Le soir, quand il se mettait au lit, plein de pensées et de soucis, il soupirait et disait à sa femme :

– Qu'allons-nous devenir ? Comment allons-nous nourrir nos enfants, puisque nous n'avons plus rien pour nous-mêmes ?

– Sais-tu une chose, mon homme ? répondit la femme. Demain, de bon matin, nous conduirons les enfants dans le bois, là où il est le plus épais ; nous leur ferons du feu, nous leur donnerons à chacun un morceau de pain, puis nous irons à notre ouvrage et nous les abandonnerons. Ils ne retrouveront plus le chemin pour revenir et nous en serons débarrassés.

– Non, femme, répliqua l'homme. Je ne veux pas faire cela. Comment pourrais-je supporter le remords d'avoir abandonné mes enfants dans la forêt ? Les bêtes sauvages viendraient bientôt les dévorer.

– Imbécile ! reprit la femme. Vaut-il donc mieux que nous mourions tous les quatre de faim ? Si c'est ainsi, tu n'as qu'à apprêter les planches pour nos cercueils.

Et elle le tracassa jusqu'à ce qu'il consente.

– Ces pauvres enfants me font cependant pitié, soupira l'homme.

La faim empêchait les deux enfants de dormir et ils avaient entendu ce que disait la marâtre à leur père. Gretel pleurait amèrement et disait à Hansel :

– Nous sommes perdus !

– Calme-toi, Gretel, lui répondit Hansel. Ne te tourmente pas ; je trouverai le moyen de nous tirer de là.

Quand les vieux furent endormis, il se leva, mit son petit habit, ouvrit la moitié inférieure de la porte et s'échappa. La lune illuminait le paysage et les petites pierres qui étaient devant la maison luisaient comme des pièces d'argent. Hansel se baissa, en bourra ses poches autant qu'elles en pouvaient contenir, puis il rentra et dit à Gretel :

– Ne pleure pas et dors en paix, ma petite sœur, le bon Dieu ne nous abandonnera pas.

Et il se remit au lit. Au point du jour, bien avant le soleil levant, la femme vint réveiller les deux enfants :

– Levez-vous, paresseux ; nous devons tous aller dans la forêt chercher du bois.

Puis elle leur donna un petit morceau de pain à chacun et leur dit :

– Voici pour votre déjeuner ; mais ne le mangez pas trop tôt, car vous n'aurez rien de plus.

Gretel prit les deux morceaux de pain sous son tablier, parce que Hansel avait des pierres dans ses poches, puis ils partirent ensemble pour la forêt.

Après un moment de marche, Hansel s'arrêta pour regarder la maison. A chaque instant il recommençait le manège.

– Qu'as-tu donc à regarder et à t'arrêter ainsi ? lui demanda le père. Fais attention et n'oublie pas tes jambes.

– Ah ! père, répondit Hansel. Je regarde mon petit chat blanc qui est là-haut sur le toit et veut me dire adieu.

– Nigaud, reprit la mère. Ce n'est pas ton petit chat blanc, c'est le soleil levant qui fait reluire la cheminée.

Or, ce n'était pas le chat que regardait Hansel, seulement, il venait de jeter encore une fois sur le chemin une des pierres luisantes qui remplissaient ses poches.

Quand ils arrivèrent au milieu de la forêt, le père dit :

– Maintenant, ramassez du bois ; je vais faire du feu, pour que vous n'ayez pas froid.

Hansel et Gretel apportèrent des brindilles et en formèrent une petite montagne ; on y mit le feu, et quand la flamme monta très haut, la femme dit :

– Enfants, mettez-vous près du feu et reposez-vous ; nous allons dans la forêt couper du bois. Quand nous aurons fini, nous viendrons vous rechercher.

Hansel et Gretel s'assirent auprès du feu, et quand arriva midi chacun mangea son petit morceau de pain. Comme ils entendaient toujours des coups de hache, ils s'imaginaient que leur père n'était pas loin. Mais ce n'étaient pas des coups de hache, c'était une branche que le père avait attachée à un arbre sec et que le vent agitait de-ci de-là.

Quand ils furent restés longtemps assis, leurs yeux se fermèrent de fatigue et ils s'endormirent profondément. Quand ils finirent par se réveiller, il faisait déjà nuit noire.

Gretel se mit à pleurer et dit :

– Comment allons-nous sortir de la forêt ?

– Attends que la lune se lève, répondit Hansel en la consolant, et nous retrouverons bien notre chemin. Et quand la pleine lune fut levée, Hansel prit par la main sa petite sœur et se mit à suivre les petites pierres qui luisaient comme des pièces d'argent et leur indiquaient le chemin. Ils marchèrent toute la nuit et se retrouvèrent au point du jour près de la maison de leur père.

Ils frappèrent à la porte, et quand la femme ouvrit et vit que c'étaient Hansel et Gretel, elle dit :

– Méchants enfants, pourquoi avez-vous dormi si longtemps dans la forêt ? Nous avons cru que vous ne vouliez plus revenir.

Le père fut très content, car il souffrait au fond de son cœur de les avoir ainsi abandonnés.

Peu de temps après, la misère était revenue dans tous les coins, et, pendant la nuit, les enfants entendirent la mère dire à leur père :

– Tout est encore une fois dévoré. Il nous reste une demi-miche de pain, après quoi ce sera fini de chanter. Il faut se défaire de ces enfants. Nous les mènerons plus avant dans la forêt, afin qu'ils ne puissent pas retrouver leur chemin. Il n'y a pas d'autre salut pour nous.

Cela faisait mal au cœur du père, qui trouvait qu'il vaudrait mieux partager avec les enfants le dernier morceau de pain ; mais la mère ne voulut rien entendre et se mit à l'accabler d'insultes et de reproches. Une fois qu'on a dit A, il faut dire B aussi, et comme il avait cédé la première fois, il dut également céder la seconde.

Mais les enfants étaient éveillés et avaient entendu la conversation. Quand les vieux furent endormis, Hansel se releva et voulut aller ramasser des pierres, comme la première fois ; mais la femme avait fermé la porte et Hansel ne put sortir. Toutefois, il consola sa petite sœur en lui disant :

– Gretel, ne pleure pas et dors en paix ; le bon Dieu nous viendra certainement en aide.

De grand matin, la femme vint faire sortir les enfants du lit. Ils reçurent chacun leur petit morceau de pain, mais plus petit encore que la fois précédente. Le long du chemin, Hansel l'émietta dans sa poche et s'arrêtait souvent pour en jeter les miettes à terre.

– Hansel, pourquoi t'arrêter et regarder ainsi autour de toi ? lui dit son père. Marche donc !

– Je regarde mon pigeon qui est là-haut sur le toit et veut me dire adieu, répondit Hansel.

– Nigaud, reprit la mère. Ce n'est pas ton pigeon, mais le soleil levant qui fait reluire la cheminée.

Mais Hansel continuait à jeter toujours ses mies de pain.

La femme conduisit les enfants encore plus avant dans la forêt, là où jamais de leur vie ils n'étaient allés. On fit de nouveau un grand feu, puis la mère dit :

– Restez assis là. Quand vous serez fatigués, vous pourrez dormir un peu. Nous allons dans la forêt couper du bois, et ce soir, quand nous aurons fini, nous viendrons vous rechercher.

Quand midi arriva, Gretel partagea son pain avec Hansel qui avait émietté le sien le long du chemin.

Alors ils s'endormirent et le soir passa, mais personne ne revint près des pauvres enfants. Ils ne se réveillèrent qu'à la nuit noire, et Hansel consolait sa petite sœur en lui disant :

– Attends, Gretel, que la lune se lève, nous verrons les miettes que j'ai semées et elles nous indiqueront notre chemin pour rentrer à la maison.

Quand la lune parut, ils se levèrent, mais ne trouvèrent plus de miettes, car les milliers d'oiseaux qui voltigent dans les bois les avaient mangées.

– Nous trouverons tout de même notre chemin, dit Hansel à Gretel.

Mais ils ne le trouvèrent pas. Ils marchèrent toute la nuit et le lendemain encore, du matin au soir, sans pouvoir sortir de la forêt. La faim les prit ; car ils ne trouvaient que quelques fraises qu'ils ramassèrent à terre. Fatigués au point que leurs jambes ne voulaient plus les porter, ils se couchèrent sous un arbre et s'endormirent.

Ils en étaient déjà à la troisième matinée, depuis qu'ils avaient quitté la maison de leur père. Ils se remirent en route, mais en s'enfonçant toujours davantage dans la forêt ; ils étaient sur le point de défaillir. Vers midi, ils virent un bel oiseau blanc comme la neige, perché sur une branche, et qui chantait si bien qu'ils s'arrêtèrent pour l'écouter. Bientôt il déploya ses ailes et s'envola. Ils le suivirent jusqu'à une petite maison sur le toit de laquelle il se posa, et, en approchant, ils remarquèrent que cette maisonnette était bâtie en pain et couverte de gâteaux, tandis que les fenêtres étaient de sucre transparent.

– Voici ce qu'il nous faut, dit Hansel, et nous allons faire un bon repas. Je vais manger un morceau du toit, Gretel ; toi, mange la fenêtre, c'est doux.

Hansel grimpa et cassa un morceau du toit, pour découvrir quel goût cela avait, tandis que Gretel se mit à lécher les carreaux. Tout à coup, une voix douce cria de l'intérieur :

Liche, lache, lèchette !
Qui lèche ma maisonnette ?

Et les enfants répondirent :

C'est le vent qui lèche ainsi ;
C'est l'enfant du paradis.

Et ils continuèrent à manger sans se troubler. Hansel, qui prenait goût à la toiture, en descendit un grand morceau, et Gretel arracha de la fenêtre une grande vitre ronde, s'assit et s'en régala. Tout à coup la porte s'ouvrit et une femme, vieille comme les pierres, qui s'appuyait sur une béquille, se traîna dehors. Hansel et Gretel eurent si peur qu'ils laissèrent tomber ce qu'ils tenaient. Mais la vieille hocha la tête en leur disant :

– Eh ! mes chers enfants, qui vous a amenés ici ? Entrez chez moi et restez avec moi ; vous vous en trouverez bien.

Elles les prit tous deux par la main et les conduisit dans la maisonnette. Là, on leur servit de la bonne

nourriture, du lait et des omelettes sucrées, des pommes et des noix. Ensuite on leur apprêta deux beaux petits lits, dans lesquels Hansel et Gretel se couchèrent, en se croyant au ciel.

Si amicale que se montrât la vieille, elle était cependant une méchante sorcière qui épiait les enfants ; elle n'avait bâti de pain sa maisonnette que pour mieux les attirer. Quand il en tombait un en sa puissance, elle le tuait, le cuisait et le mangeait, et c'était pour elle un jour de fête. Les sorcières ont des yeux rouges et ne voient pas bien, mais elles ont l'odorat fin comme des animaux et elles sentent quand des humains s'approchent. En voyant Hansel et Gretel s'approcher de sa maison, elle avait ri méchamment en s'écriant :

– Ceux-ci ne m'échapperont pas !

Le lendemain matin, avant que les enfants fussent éveillés, elle était debout et, en les voyant si joliment reposer, avec leurs joues rouges, elle murmurait à part elle :

– Cela va faire un fameux régal !

Elle prit alors Hansel avec sa main sèche et le porta dans une petite écurie. Il eut beau crier tant qu'il voulut, cela ne lui servit à rien. Elle l'enferma avec une porte à claire-voie. Ensuite elle alla voir Gretel, la secoua pour la réveiller et lui cria :

– Lève-toi donc, paresseuse ; va chercher de l'eau et prépare quelque chose de bon pour ton frère qui est à l'écurie et qu'il faut engraisser. Quand il sera gras, je le mangerai.

Gretel se mit à pleurer amèrement, mais tout fut inutile : elle fut obligée de faire ce que la méchante sorcière désirait. On prépara donc pour Hansel la meilleure nourriture, pendant que Gretel n'avait à manger que des coquilles d'écrevisses.

Tous les matins, la vieille se glissait dans l'écurie et criait :

– Hansel, tends-moi ton petit doigt, que je sente si tu es bientôt gras.

Mais Hansel lui tendait un petit os, et comme la vieille avait mauvaise vue et n'y voyait rien, elle s'imaginait que c'était le doigt de Hansel et s'étonnait qu'il ne voulût pas engraisser.

Quatre semaines s'étant ainsi passées, Hansel restant toujours maigre, l'impatience s'empara d'elle et elle ne voulut plus attendre.

– Allons, Gretel, dépêche-toi d'apporter de l'eau,

dit-elle à la jeune fille. Que Hansel soit maigre ou gras, demain je veux le tuer et le cuire.

Ah ! comme elle se lamenta, la pauvre petite sœur, en se voyant obligée de porter cette eau. Comme ses pleurs ruisselaient sur ses joues !

– Mon Dieu, secourez-nous ! s'écriait-elle. Que n'avons-nous été dévorés dans les bois par les bêtes sauvages ! Nous serions au moins morts ensemble !

– Épargne-moi tes criailleries, lui dit la vieille ; tout cela ne t'avance à rien.

Le lendemain matin, Gretel fut obligée d'aller prendre la marmite pleine d'eau et d'allumer le feu.

– Nous allons d'abord faire du pain, dit la vieille ; j'ai déjà allumé le four et pétri la pâte.

Elle poussa la pauvre Gretel vers le four dont les flammes sortaient avec violence.

– Grimpe dedans pour voir s'il est bientôt assez chaud et si l'on peut enfourner le pain.

Et quand Gretel serait dedans, elle voulait fermer la porte et la rôtir, puis la manger aussi ; mais Gretel devina ce qu'elle avait en tête et répondit :

– Je ne sais comment m'y prendre pour rentrer.

– Quelle oie stupide ! dit la vieille. L'ouverture est cependant assez grande. Tu vois, j'y monterais bien moi-même.

Et elle s'approchait en fourrant sa tête à la porte du four. Tout à coup Gretel lui donna une bourrade qui la fit entrer tout entière, puis elle referma la porte de fer et poussa le verrou. Oh ! Comme elle se mit à hurler épouvantablement ! Mais Gretel se sauva et la maudite sorcière brûla misérablement.

Aussitôt Gretel courut à Hansel, ouvrit son écurie et cria :

– Hansel, nous voilà délivrés ! La vieille sorcière est morte !

Hansel s'élança dehors, comme un oiseau de sa cage quand on lui ouvre la porte. Dieu ! comme ils sautaient de joie et s'embrassaient ! Puis, n'ayant

plus rien à craindre, ils parcoururent toute la maison de la sorcière, qui était, dans tous les coins, remplie de caisses pleines de perles et de pierres précieuses.

– Ceci vaut encore mieux que mes petites pierres, disait Hansel, et il en fourra dans ses poches tant qu'elles en purent tenir.

Gretel remplit de même son tablier, en disant :

– Moi aussi, je veux emporter quelque chose.

– Maintenant, partons vite, dit Hansel ; et dépêchons-nous de sortir de ce bois ensorcelé.

Il y avait quelques heures qu'ils allaient ainsi, quand ils arrivèrent près d'une grande rivière.

– Nous ne pouvons la passer, dit Hansel ; je ne vois ni pont ni passerelle.

– Il ne vient pas non plus de bateau, répondit Gretel ; mais voilà un canard blanc qui nage. Si je l'en prie, il nous aidera à traverser.

Et elle cria :

> Canard ! canard, qui vas sur l'eau,
> Viens vite passer sur ton dos
> Gretel et Hansel, car on ne voit
> Passerelle ni pont de bois.

Le canard arriva aussitôt, et Hansel s'assit sur lui en voulant y mettre aussi sa petite sœur.

– Non pas, répondit Gretel ; nous pèserions trop pour le canard. Il nous portera l'un après l'autre.

C'est ce que fit la bonne petite bête. Et dès qu'ils eurent un peu marché de l'autre côté, la forêt leur devint de plus en plus familière ; enfin ils aperçurent la maison de leur père. Alors ils se mirent à courir, se précipitèrent dans la chambre et sautèrent au cou de leur père. Celui-ci n'avait plus eu une heure de repos depuis qu'il avait abandonné ses enfants dans la forêt. Mais la femme était morte. Gretel vida son tablier en faisant rouler les perles et les pierres précieuses à travers la chambre ; Hansel en jetait des poignées, les unes après les autres, qu'il tirait de ses poches. Alors tous les soucis prirent fin et ils vécurent ensemble très heureux.

Mon conte est fini. Voici une souris. Celui qui l'attrapera, une casquette en cuir se fera.

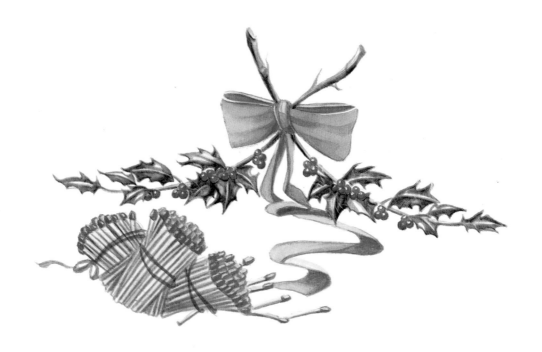

La Petite Fille
aux allumettes

Comme il faisait froid ! La neige tombait et la nuit n'était pas loin ; c'était le dernier soir de l'année, la veille du jour de l'an.

Au milieu de ce froid et de cette obscurité, une pauvre petite fille passa dans la rue, la tête et les pieds nus. Elle avait, il est vrai, des pantoufles en quittant la maison, mais elles ne lui avaient pas servi longtemps : c'étaient de grandes pantoufles que sa mère avait déjà usées, si grandes que la petite les perdit en se pressant de traverser la rue entre deux voitures.

L'une fut réellement perdue ; quant à l'autre, un gamin l'emporta avec l'intention d'en faire un berceau pour son petit enfant, quand le ciel lui en donnerait un.

La petite fille cheminait sur ses petits pieds nus, qui étaient rouges et bleus de froid ; elle avait dans son vieux tablier une grande quantité d'allumettes, et elle portait à la main un paquet. C'était pour elle une mauvaise journée ; pas d'acheteurs, donc pas le moindre sou. Elle avait bien faim et bien froid, bien misérable mine. Pauvre petite ! Les flocons de neige tombaient sur ses longs cheveux blonds, si gentiment bouclés autour de son cou ; mais songeait-elle seulement à ses cheveux bouclés ?

Les lumières brillaient aux fenêtres, le fumet des rôtis se répandait dans la rue ; c'était la veille du jour de l'an : voilà à quoi elle songeait. Elle s'assit et s'affaissa sur elle-même dans un coin, entre deux maisons. Le froid la saisit de plus en plus, mais elle n'osait pas retourner chez elle : elle rapporterait ses allumettes, et pas la plus petite pièce de monnaie. Son père la battrait ; et, du reste, chez elle, est-ce qu'il ne faisait pas froid aussi ? Ils logeaient sous le toit, et le vent soufflait au travers, quoique les plus grandes fentes eussent été bouchées avec de la paille et des chiffons.

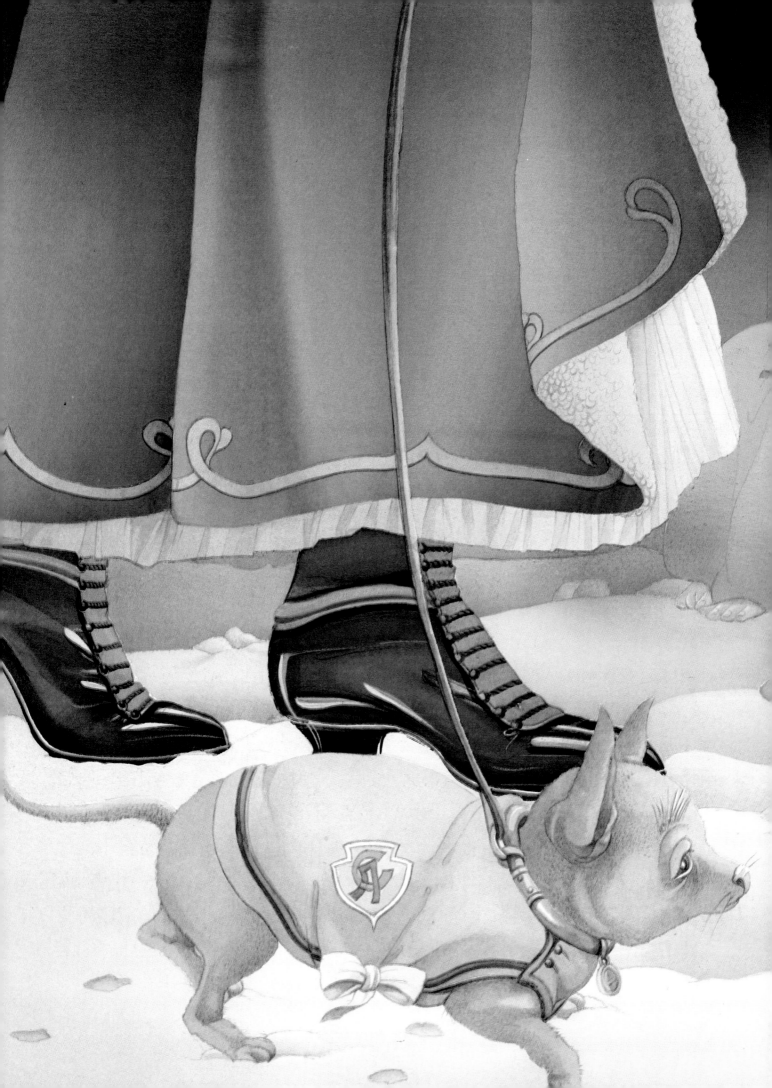

Ses petites mains étaient presque mortes de froid. Hélas ! Qu'une petite allumette leur ferait du bien ! Si elle osait en tirer une seule du paquet, la frotter sur le mur et réchauffer ses doigts !

Elle en tira une : ritch ! Comme elle éclata ! Comme elle brûla ! C'était une flamme chaude et claire comme une petite chandelle, quand elle la couvrit de sa main. Quelle lumière bizarre ! Il semblait à la petite fille qu'elle était assise devant un grand poêle de fer orné de boules et surmonté d'un couvercle en cuivre luisant. Le feu y brûlait si magnifique, il chauffait si bien ! La petite étendait déjà ses pieds pour les chauffer aussi ; la flamme s'éteignit, le poêle disparut : elle était assise, un petit bout d'allumette brûlée à la main.

Elle en frotta une deuxième, qui brûla, qui brilla, et, là où la lueur tomba sur le mur, il devint transparent comme une gaze. La petite pouvait voir jusque dans une chambre où la table était couverte d'une nappe blanche, éblouissante de fines porcelaines, et sur laquelle une oie rôtie, farcie de pruneaux et de pommes, fumait en exhalant un parfum délicieux. Ô surprise ! Tout à coup l'oie sauta de son plat et roula sur le plancher, la fourchette et le couteau dans le dos, jusqu'à la pauvre fille.

L'allumette s'éteignit : elle n'avait devant elle que le mur épais et froid.

En voilà une troisième allumée. Aussitôt, elle se vit assise sous un magnifique arbre de Noël ; il était plus riche et plus grand encore que celui qu'elle avait vu, à la Noël dernière, à travers la porte vitrée, chez le riche marchand. Mille chandelles brûlaient sur les branches vertes, et des images de toutes couleurs, comme celles qui ornent les vitrines des magasins, semblaient lui sourire. La petite éleva les deux mains : l'allumette s'éteignit. Toutes les chandelles de Noël montaient, montaient, et elle s'aperçut alors que ce n'était que les étoiles. Une d'elle tomba et traça une longue raie de feu dans le ciel.

« C'est quelqu'un qui meurt », se dit la petite ; car sa vieille grand-mère, qui seule avait été bonne pour elle, mais n'était plus, lui répétait souvent : « Lorsqu'une étoile tombe, c'est qu'une âme monte à Dieu. »

Elle frotta encore une allumette sur le mur : il se fit une grande lumière au milieu de laquelle la grand-mère se tenait debout, avec un air si doux, si radieux !

– Grand-mère, s'écria la petite, emmène-moi.

Lorsque l'allumette s'éteindra, je sais que tu n'y seras plus. Tu disparaîtras comme le poêle de fer, comme l'oie rôtie, comme le bel arbre de Noël.

Elle frotta promptement le reste du paquet, car elle tenait à garder sa grand-mère, et les allumettes répandirent un éclat plus vif que celui du jour. Jamais la grand-mère n'avait été si grande et si belle. Elle prit la petite fille dans ses bras, et toutes les deux s'envolèrent, joyeuses, au milieu de ce rayonnement, si haut, si haut, qu'il n'y avait plus ni froid, ni faim, ni angoisse ; elles étaient chez Dieu.

Au petit matin glacé, la fillette était toujours assise dans le coin entre les deux maisons, les joues toutes rouges, le sourire sur la bouche... morte, morte de froid, le dernier soir de l'année.

Le jour de l'an se leva sur le petit cadavre assis là avec les allumettes, dont un paquet avait été presque tout brûlé.

– Elle a voulu se chauffer ! dit quelqu'un.

Tout le monde ignora les belles choses qu'elle avait vues, et au milieu de quelle splendeur elle était entrée avec sa vieille grand-mère dans la nouvelle année.

Le maître chat
ou
le Chat botté

Un Meunier ne laissa pour tout bien à trois enfants qu'il avait, que son Moulin, son Âne et son Chat. Les partages furent bientôt faits, ni le Notaire ni le Procureur n'y furent point appelés. Ils auraient mangé tout le pauvre patrimoine. L'aîné eut le Moulin, le second eut l'Âne, et le plus jeune n'eut que le Chat. Ce dernier ne pouvait se consoler d'avoir un si pauvre lot :

– Mes frères, disait-il, pourront gagner leur vie honnêtement en se mettant ensemble ; pour moi, lorsque j'aurai mangé mon Chat et que je me serai fait un manchon de sa peau, il faudra que je meure de faim.

Le Chat qui entendait ce discours lui dit d'un air posé et sérieux :

– Ne vous affligez point, mon maître, vous n'avez qu'à me donner un sac, et me faire faire une paire de bottes pour aller dans les broussailles, et vous verrez que vous n'êtes pas si mal partagé que vous croyez. Quoique le maître du Chat ne fît pas grand fond là-dessus, il lui avait vu faire tant de tours de souplesse, pour prendre des rats et des souris, comme quand il se pendait par les pieds, ou qu'il se cachait dans la farine pour faire le mort, qu'il ne désespéra pas d'en être secouru dans sa misère. Lorsque le Chat eut ce qu'il avait demandé, il se botta bravement et, mettant son sac à son cou, il en prit les cordons avec ses deux pattes de devant, et s'en alla dans une garenne où il y avait grand nombre de lapins. Il mit du son et de la verdure dans son sac, et s'étendant comme s'il eût été mort, il attendit que quelque jeune lapin peu instruit encore des ruses de ce monde, vînt se fourrer dans son sac pour manger ce qu'il y avait mis. A peine fut-il couché, qu'il eut contentement ; un jeune étourdi de lapin entra dans son sac, et le maître Chat tirant aussitôt les cordons le prit et le tua sans miséricorde. Tout glorieux de sa proie, il s'en alla chez le Roi et demanda à lui parler. On le fit monter à l'appartement de Sa Majesté. Il fit une grande révérence au Roi, et lui dit :

— Voilà, Sire, un lapin de garenne que Monsieur le Marquis de Carabas (c'était le nom qu'il lui plut de donner à son Maître) m'a chargé de vous présenter de sa part.

— Dis à ton Maître, répondit le Roi, que je le remercie, et qu'il me fait plaisir.

Une autre fois, il alla se cacher dans le blé tenant toujours son sac ouvert ; et lorsque deux perdrix y furent entrées, il tira les cordons, et les prit toutes deux. Il alla ensuite les présenter au Roi, comme il avait fait pour le lapin de garenne. Le Roi reçut encore avec plaisir les deux perdrix, et lui fit donner à boire. Le Chat continua ainsi pendant deux ou trois mois à porter de temps en temps au Roi du gibier de la chasse de son Maître. Un jour qu'il sut que le Roi devait aller à la promenade sur le bord de la rivière avec sa fille, la plus belle Princesse du monde, il dit à son Maître :

— Si vous voulez suivre mon conseil, votre fortune

est faite ; vous n'avez qu'à vous baigner dans la rivière à l'endroit que je vous montrerai et ensuite me laisser faire.

Le Marquis de Carabas fit ce que son Chat lui conseillait, sans savoir à quoi cela serait bon. Dans le temps qu'il se baignait, le Roi vint à passer, et le Chat se mit à crier de toute sa force :

– Au secours ! Au secours ! Voilà Monsieur le Marquis de Carabas qui se noie !

A ce cri le Roi mit la tête à la portière, et reconnaissant le Chat qui lui avait apporté tant de fois du gibier, il ordonna à ses gardes qu'on allât vite au secours de Monsieur le Marquis de Carabas. Alors qu'on retirait le pauvre Marquis de la rivière, le Chat s'approcha du carrosse et dit au Roi que pendant que son Maître se baignait, il était venu des voleurs qui avaient emporté ses habits, quoiqu'il eût crié au voleur de toute sa force ; le Chat les avait cachés sous une grosse pierre. Le Roi ordonna aussitôt aux officiers de sa garde-robe d'aller chercher un de ses plus beaux habits pour Monsieur le Marquis de Carabas. Le Roi lui fit mille caresses, et, comme les beaux habits qu'on venait de lui donner relevaient sa bonne mine (car il était beau et bien fait de sa personne), la fille du Roi le trouva fort à son gré, et

le Marquis de Carabas ne lui eut pas jeté deux ou trois regards fort respectueux, et un peu tendres, qu'elle en devint amoureuse à la folie. Le Roi voulut qu'il montât dans son carrosse, et qu'il fût de la promenade. Le Chat ravi de voir que son projet commençait à réussir, prit les devants, et ayant rencontré des paysans qui fauchaient un pré il leur dit :

– Bonnes gens qui fauchez, si vous ne dites au Roi que le pré que vous fauchez appartient à Monsieur le Marquis de Carabas, vous serez tous hachés menu comme chair à pâté.

Le Roi ne manqua pas à demander aux faucheux à qui était ce pré qu'ils fauchaient.

– C'est à Monsieur le Marquis de Carabas, dirent-ils tous ensemble, car la menace du Chat leur avait fait peur.

– Vous avez là un bel héritage, dit le Roi au Marquis de Carabas.

– Vous voyez, Sire, répondit le Marquis, c'est un pré qui ne manque point de rapporter abondamment toutes les années.

Le maître Chat, qui allait toujours devant, rencontra des moissonneurs, et leur dit :

– Bonnes gens qui moissonnez, si vous ne dites que tous ces blés appartiennent à Monsieur le Mar-

quis de Carabas, vous serez tous hachés menu comme chair à pâté.

Le Roi, qui passa un moment après, voulut savoir à qui appartenaient tous les blés qu'il voyait.

– C'est à Monsieur le Marquis de Carabas, répondirent les moissonneurs, et le Roi s'en réjouit encore avec le Marquis.

Le Chat, qui allait devant le carrosse, disait toujours la même chose à tous ceux qu'il rencontrait ; et le Roi était étonné des grands biens de Monsieur le Marquis de Carabas. Le maître Chat arriva enfin dans un beau château, dont le maître était un ogre, le plus riche qu'on ait jamais vu, car toutes les terres par où le Roi avait passé étaient de la dépendance de ce château. Le Chat, qui eut soin de s'informer qui était cet ogre, et ce qu'il savait faire, demanda à lui parler, disant qu'il n'avait pas voulu passer si près de son château, sans avoir l'honneur de lui faire la révérence. L'ogre le reçut aussi courtoisement que le peut un ogre, et le fit asseoir.

– On m'a assuré, dit le Chat, que vous aviez le don de vous changer en toute sorte d'animaux, que vous pouviez, par exemple, vous transformer en lion, en éléphant ?

– Cela est vrai, répondit l'ogre brusquement, et

pour vous le montrer, vous m'allez voir devenir lion.

Le Chat fut si effrayé de voir un lion devant lui qu'il gagna aussitôt les gouttières, non sans peine et sans péril à cause de ses bottes qui ne valaient rien pour marcher sur les tuiles. Quelque temps après, le Chat, ayant vu que l'ogre avait quitté sa première forme, descendit et avoua qu'il avait eu bien peur.

– On m'a assuré encore, dit le Chat, mais je ne saurais le croire, que vous aviez aussi le pouvoir de prendre la forme des plus petits animaux, par exemple de vous changer en un rat, en une souris ; je vous avoue que cela me semble impossible.

– Impossible ? reprit l'ogre, vous allez voir, et en même temps il se changea en une souris qui se mit à courir sur le plancher.

Le Chat ne l'eut pas plus tôt aperçue qu'il se jeta dessus et la mangea. Cependant le Roi, qui vit en passant le beau château de l'ogre, voulut entrer dedans. Le Chat, qui entendit le bruit du carrosse qui passait sur le pont-levis, courut au-devant, et dit au Roi :

– Votre Majesté est la bienvenue dans le château de Monsieur le Marquis de Carabas.

– Comment ! Monsieur le Marquis ! s'écria le Roi, ce château est encore à vous ! Il n'y a rien de plus

beau que cette cour et tous ces bâtiments qui l'en-
vironnent : voyons-les dedans, s'il vous plaît.

Le Marquis donna la main à la jeune princesse, et
suivant le Roi qui montait le premier, ils entrèrent
dans une grande salle où ils trouvèrent une magnifique collation que l'ogre avait fait préparer pour ses
amis qui devaient venir le voir ce même jour, mais
qui n'avaient pas osé entrer, sachant que le Roi y
était. Le Roi charmé des bonnes qualités de Monsieur le Marquis de Carabas, de même que sa fille

qui en était folle, et voyant les grands biens qu'il possédait, lui dit, après avoir bu cinq ou six coups :

– Il ne tiendra qu'à vous, Monsieur le Marquis, que vous ne soyez mon gendre.

Le Marquis, faisant de grandes révérences, accepta l'honneur que lui faisait le Roi ; et dès le même jour épousa la princesse. Le Chat devint grand Seigneur et ne courut plus après les souris que pour se divertir.

Ce que le vieux fait est bien fait

Je vais te raconter une histoire que j'ai entendue lorsque j'étais encore petit garçon. Chaque fois que je me la rappelai par la suite, elle me parut plus jolie, et, en effet, il en est des contes comme des hommes : il en est qui embellissent avec l'âge.

Tu n'es pas sans avoir été à la campagne ; tu y as vu çà et là une vieille, très vieille maison de paysan, avec le toit de chaume où croissent les herbes et la mousse ; sur le faîte se trouve l'inévitable nid de cigogne. Les murs sont inclinés de droite et de gauche ; il n'y a que deux ou trois fenêtres basses ;

une seule même peut s'ouvrir. Le four sort de la muraille comme un ventre proéminent. Un sureau dépasse la haie, et sous ses branches est une mare où des canards se baignent. Un chien à l'attache aboie après tout le monde.

Dans une de ces demeures rustiques habitait un couple de vieux, un paysan et une paysanne. Ils ne possédaient presque rien au monde, et pourtant ils avaient une chose qui leur était superflue : un cheval qui se nourrissait de l'herbe des fossés de la route. Quand le paysan allait à la ville, il montait la bête ; souvent les voisins la lui empruntaient, et en retour ils rendaient au brave homme quelques services. Toutefois il était d'avis que le plus sage serait de s'en défaire, de le vendre ou de le troquer pour un objet plus utile. Mais quoi par exemple ?

– C'est ce que tu apprécieras toi-même mieux que personne, lui dit la bonne femme. Aujourd'hui est jour de foire à la ville. Vas-y avec le cheval, tu en retireras un prix quelconque ou tu feras un échange. Tout ce que tu feras me conviendra : donc en route !

Elle lui attacha autour du cou un beau foulard, qu'elle savait arranger mieux que lui, et elle y fit un double nœud très coquet. Elle lissa son chapeau avec la paume de la main, et lui donna un gros baiser.

Puis il monta sur le cheval pour aller le vendre ou le troquer : « Oui, le vieux s'y entend, se dit-elle, il fera l'affaire on ne peut mieux. »

Le soleil était brûlant ; il n'y avait pas un nuage au ciel. Le vent soulevait la poussière sur la route où se pressaient toutes sortes de gens qui allaient à la ville, en voiture, à cheval ou à pied. Ils avaient tous bien chaud. Nulle part on n'apercevait d'auberge.

Parmi ce monde cheminait un homme qui conduisait une vache au marché. Elle était aussi belle que vache puisse être. « Quel bon lait elle doit donner ! se dit le paysan. Voilà qui serait un fameux échange, cette superbe vache contre mon cheval ! »

– Hé ! là-bas, l'homme à la vache ! Sais-tu ce que je veux te proposer ? Un cheval, je le sais, coûte plus cher qu'une vache ; mais cela m'est égal : une vache me fera plus de profit qu'un cheval. As-tu envie de troquer ta vache contre mon cheval ?

– Je crois bien ! répondit l'homme, et ils échangèrent leurs bêtes.

Voilà qui était fait, et le vieux paysan aurait fort bien pu s'en retourner chez lui, puisqu'il avait terminé l'affaire pour laquelle il s'était mis en chemin. Mais comme il s'était fait une fête de voir la foire, il résolut d'y aller quand même, et il s'achemina avec sa vache vers la ville. Comme il marchait d'un bon pas, il ne tarda pas à rejoindre un individu qui conduisait un mouton comme on en voit peu, avec une épaisse toison de laine.

« Voilà une belle bête que je voudrais bien avoir ! se dit le vieux paysan. Un mouton trouverait tout ce qu'il lui faut d'herbe le long de notre haie ; on n'aurait pas besoin de lui chercher de la nourriture bien loin. Pendant l'hiver, nous le garderions dans la chambre ; ce serait une distraction pour ma vieille compagne. Un mouton nous conviendrait mieux qu'une vache. »

– Ça, l'ami, dit-il au maître du mouton, voulez-vous troquer ?

L'autre ne le se fit pas dire deux fois. Il s'empressa d'emmener la vache et laissa le mouton.

Le vieux paysan continua son chemin avec le mouton. Il aperçut un homme débouchant d'un sentier, qui portait sous le bras une oie vivante, une oie grasse, une oie comme on n'en voit guère. Elle fit l'admiration du vieux paysan.

– Tu as là une charge, dit-il au survenant ; cette bête est extraordinaire, quelle graisse ! Et quel plumage !

Et il songea à part lui : « Si nous l'avions chez nous, je gage que ma bonne vieille trouverait encore moyen de la faire grossir. On lui donnerait tous les restes ; de quelle taille deviendrait-elle ! Je me souviens que ma femme m'a dit bien souvent : "Ah ! Si nous avions une oie, cela ferait joliment bien parmi nos canards !" Voici qu'il y a peut-être moyen d'en avoir une, et une qui en vaut deux ! »

– Dis donc, camarade, reprit-il tout haut, veux-tu changer avec moi ? Prendre mon mouton et me donner ton oie ? Moi, je ne demande pas mieux, et je te devrai un grand merci par-dessus le marché.

L'autre ne se le fit pas dire deux fois, et le vieux paysan se trouva possesseur de l'oie. Il était alors tout près de la ville. La foule augmentait ; hommes et animaux se pressaient sur la route ; il y avait même des gens dans les fossés, le long des haies. A la barrière, c'était la bousculade.

Le percepteur de l'octroi avait une poule qu'il élevait. En voyant tant de monde, il attacha la poule par une ficelle, afin qu'elle ne pût s'effarer et s'échapper. Elle était perchée sur la barrière, elle remuait sa queue écourtée ; elle clignait de l'œil comme une bête malicieuse, et disait « glouck, glouck ». Pensait-elle quelque chose ? Je n'en sais rien ; mais le paysan, dès qu'il l'aperçut, se prit à rire : « C'est bien la plus belle poule que j'aie jamais vue, se dit-il ; elle est plus belle même que la couveuse du pasteur. Et qu'elle a l'air plaisant ! On ne saurait la regarder sans pouffer de rire. Dieu ! Que je voudrais l'avoir. Une poule est l'animal le plus commode à élever ; on n'a pas à s'en occuper ; elle

se nourrit elle-même des graines et des miettes qu'elle ramasse. Je crois que si je pouvais changer cette oie pour elle, je ferais une affaire excellente. »

– Si nous troquions ? dit-il au percepteur en lui montrant l'oie.

– Troquer ! répondit celui-ci ; mais cela me va tout à fait !

Le percepteur prit l'oie, le vieux paysan emporta la poule. Il avait fait bien de la besogne pendant le chemin, il était échauffé et fatigué. Il lui fallait une goutte et une croûte. Il entra à l'auberge. Le garçon en sortait justement, portant un sac tout rempli.

– Qu'est-ce que tu portes là ? lui demanda le paysan.

– Un sac de pommes rabougries que je vais donner aux cochons.

– Comment ! Des pommes rabougries aux cochons, mais c'est une prodigalité insensée ! Ma chère femme fait grand cas des pommes rabougries. Comme elle se réjouirait d'avoir toutes ces pommes ! L'an dernier, notre vieux pommier près de l'écurie ne donna qu'une seule pomme ; on la plaça sur l'armoire et on la conserva jusqu'à ce qu'elle fût pourrie. « Cela prouve toujours qu'on est à son aise »,

disait ma femme. Que dirait-elle si elle en avait plein ce sac ? Je voudrais bien lui procurer cette joie.

– Eh bien ! que donneriez-vous pour ce sac ? dit le garçon.

– Ce que je donnerais ! Mais cette poule donc ! N'est-ce pas suffisant ?

Ils troquèrent à l'instant et le paysan pénétra dans la salle de l'auberge avec son sac qu'il plaça avec soin contre le poêle. Puis il alla à la buvette. Le poêle était chauffé, le bonhomme n'y prit pas garde.

Il y avait là beaucoup de monde, des maquignons, des bouviers et aussi deux voyageurs anglais. Ces Anglais étaient si riches que leurs poches étaient comme bondées de pièces d'or. Et comme ils aimaient à faire des paris ! Tu vas en juger.

« Ss ss ». Quel bruit fait donc le poêle ? C'étaient les pommes qui commençaient à cuire.

– Qu'est-ce que cela ? demanda un des Anglais.

– Ah, mes pommes ! dit le paysan, et il raconta à l'Anglais l'histoire du cheval qu'il avait échangé contre une vache, et ainsi de suite jusqu'aux pommes.

– Eh bien, elle va joliment te recevoir, ta vieille, quand tu rentreras, dirent les Anglais. Quelle bourrade elle te va donner !

– Quoi, bourrade ? dit le paysan. Elle m'embrassera tout de bon et elle dira : « Ce que le vieux fait est bien fait. »

– Parions-nous que non ? dirent les Anglais. Nous parions tout l'or que tu veux, cent livres pesant, ou un quintal.

– Un boisseau est assez, répondit le paysan. Je ne puis engager contre vous que mon boisseau de pommes, et moi et ma vieille par-dessus le marché. Je pense que c'est bonne mesure ; qu'en dites-vous milords ?

– Allons, tope, accepté !

Et le pari fut fait. On fit avancer la voiture de l'aubergiste. Les milords y montèrent et le paysan y monta avec eux. « Hop ! en avant ! » Et bientôt ils s'arrêtèrent devant la maisonnette rustique.

– Bonsoir, chère vieille.

– Bonsoir, cher vieux.

– L'échange est fait.

– Ah ! tu t'entends aux affaires, dit la bonne femme, et elle l'embrassa sans faire attention au sac non plus qu'aux étrangers.

– J'ai troqué le cheval contre une vache, reprit le paysan.

– Dieu soit loué ! Le bon lait que nous allons avoir, et le beurre et le fromage ! C'est un fameux échange.

– Oui, mais j'ai ensuite troqué la vache contre une brebis.

– Cela vaut mieux, en effet. Nous avons juste assez d'herbe pour nourrir une brebis, et elle nous donnera du lait tout de même. Je raffole du fromage de brebis. Et par-dessus le marché, j'aurai de la laine, dont je tricoterai des bas et de bonnes jaquettes bien chaudes. Oh, nous n'aurions pas eu cela avec une vache. Comme tu réfléchis à tout !

– Ce n'est pas fini, ma bonne ; ce mouton, je l'ai échangé contre une oie.

– Nous aurons donc cette année à Noël une belle oie rôtie ! Tu songes toujours, mon cher vieux, à ce qui peut me causer le plus de plaisir. A la bonne heure ! D'ici à Noël, nous aurons le temps de bien l'engraisser.

– Je n'ai plus cette oie ; j'ai pris une poule en échange.

– Une poule a son prix, dit la femme. Une poule pond des œufs, elle les couve, il en sort des poulets qui grandissent et qui forment bientôt une basse-cour. Une basse-cour, c'est le rêve de ma vie.

– Ce n'est plus cela, chère vieille. J'ai troqué la poule contre un sac de pommes rabougries.

– Quoi, est-il vrai ? C'est maintenant que je vais t'embrasser, cher homme ! Veux-tu que je te conte ce qui m'est arrivé ? A peine étais-tu parti ce matin, que je me suis mise à penser quel bon fricot je pourrais te faire ce soir quand tu rentrerais. Des œufs au lard avec de la civette, voilà ce que j'ai imaginé de mieux. Les œufs, je les avais ; le lard aussi ; mais point la civette. Je vais alors en face chez le maître d'école, qui en cultive, et je m'adresse à sa femme ; tu sais comme elle est avare, quoiqu'elle ait un air doucereux. Je la prie de me prêter une poignée de civette : « Prêter ! reprit-elle ; mais nous n'avons rien dans notre jardin, pas de civette, pas même de pomme rabougrie. Vraiment, j'en suis désolée, ma voisine » ; et je m'en suis allée : demain j'irai, moi, lui offrir des pommes rabougries, puisqu'elle n'en a pas ; je lui offrirai tout le sac, si elle veut. La bonne riposte ! Comme elle sera honteuse ! Je m'en réjouis d'avance.

Elle jeta ses bras au cou de son mari, et lui donna des baisers retentissants comme des baisers de nourrice.

– Très bien, voilà qui me plaît, dirent à la fois les deux Anglais. La dégringolade n'a pas altéré un instant sa bonne humeur. Ma foi, cela vaut une forte somme !

Ils donnèrent un quintal d'or au paysan que sa femme avait bien accueilli après de pareils marchés, et le bonhomme se trouva plus riche que s'il avait vendu son cheval dix fois, trente fois sa valeur.

Voilà l'histoire que j'ai entendu raconter quand j'étais enfant, et qui m'a paru pleine de sens. Maintenant tu la sais aussi, et ne l'oublie jamais : « Ce que le vieux fait est bien fait. »

La princesse
sur un pois

Il y avait une fois un prince qui voulait épouser une princesse, mais une princesse véritable. Il fit donc le tour du monde pour en trouver une, et, à la vérité, les princesses ne manquaient pas ; mais il ne pouvait jamais être sûr d'être en face de véritables princesses ; toujours quelque chose en elles lui paraissait suspect. En conséquence, il revint bien affligé de n'avoir pas trouvé ce qu'il désirait.

Un soir, il faisait un temps horrible, les éclairs se croisaient, le tonnerre grondait, la pluie tombait à torrent ; c'était épouvantable ! Quelqu'un frappa à la porte du château, et le vieux roi s'empressa d'aller ouvrir.

C'était une princesse. Mais grand Dieu ! L'eau ruisselait de ses cheveux et de ses vêtements, entrait par le nez de ses souliers, et sortait par le talon.

Néanmoins, elle se donna pour une véritable princesse.

« C'est ce que nous saurons bientôt ! » pensa la vieille reine. Puis, sans rien dire, elle entra dans la chambre à coucher, ôta toute la literie, et mit un pois au fond du lit. Ensuite elle prit vingt matelas, qu'elle étendit sur le pois, et encore vingt édredons qu'elle entassa par-dessus les matelas.

C'était la couche destinée à la princesse ; le lendemain matin, on lui demanda comment elle avait passé la nuit.

– Bien mal ! répondit-elle ; à peine si j'ai fermé les yeux de toute la nuit ! Dieu sait ce qu'il y avait dans le lit ; c'était quelque chose de dur qui m'a rendu la peau toute violette. Quel supplice !

A cette réponse, on reconnut que c'était une véritable princesse, puisqu'elle avait senti un pois à

loin de la ville. Il dit en pleurant à ses enfants qu'il fallait aller dans cette maison et qu'en travaillant comme des paysans, ils pourraient y vivre.

Quand ils furent arrivés à leur maison de campagne, le marchand et ses trois fils s'occupèrent à labourer la terre. La Belle se levait à quatre heures du matin et se dépêchait de nettoyer la maison et de faire à manger pour la famille. Quand elle avait fait son ouvrage, elle lisait, elle jouait du clavecin, ou bien elle chantait en filant. Ses deux sœurs, au contraire, s'ennuyaient à la mort ; elles se levaient à dix heures du matin, se promenaient toute la journée et s'amusaient à regretter leurs beaux habits et les compagnies.

– Voyez notre cadette, disaient-elles entre elles, elle a l'âme si basse et si stupide qu'elle est heureuse de sa malheureuse situation.

Il y avait un an que cette famille vivait dans la solitude, lorsque le marchand reçut une lettre : un vaisseau, sur lequel il avait des marchandises, venait d'arriver. Cette nouvelle faillit tourner la tête à ses deux aînées. Quand elles virent leur père prêt à partir, elles le prièrent de leur apporter des robes et toutes sortes de bagatelles. La Belle ne lui demandait rien.

travers vingt matelas et vingt édredons. Quelle femme, sinon une princesse, pouvait avoir la peau aussi délicate !

Le prince, bien convaincu que c'était une véritable princesse, la prit pour femme, et le pois fut placé dans le musée, où il doit se trouver encore, à moins qu'un amateur ne l'ait enlevé.

Voilà une histoire aussi véritable que la princesse !

La Belle et la Bête

Il y avait une fois un marchand qui était extrêmement riche. Il avait six enfants, trois garçons et trois filles.

Ses filles étaient très belles ; mais la cadette surtout se faisait admirer et on ne l'appelait que Belle Enfant ; en sorte que le nom lui resta, ce qui donna beaucoup de jalousie à ses sœurs. Cette cadette qui était plus belle que ses sœurs était aussi meilleure qu'elles.

Tout d'un coup le marchand perdit son bien et il ne lui resta qu'une petite maison de campagne bien loin de la ville. Il dit en pleurant à ses enfants qu'il fallait aller dans cette maison et qu'en travaillant comme des paysans, ils pourraient y vivre.

Quand ils furent arrivés à leur maison de campagne, le marchand et ses trois fils s'occupèrent à labourer la terre. La Belle se levait à quatre heures du matin et se dépêchait de nettoyer la maison et de faire à manger pour la famille. Quand elle avait fait son ouvrage, elle lisait, elle jouait du clavecin, ou bien elle chantait en filant. Ses deux sœurs, au contraire, s'ennuyaient à la mort ; elles se levaient à dix heures du matin, se promenaient toute la journée et s'amusaient à regretter leurs beaux habits et les compagnies.

– Voyez notre cadette, disaient-elles entre elles, elle a l'âme si basse et si stupide qu'elle est heureuse de sa malheureuse situation.

Il y avait un an que cette famille vivait dans la solitude, lorsque le marchand reçut une lettre : un vaisseau, sur lequel il avait des marchandises, venait d'arriver. Cette nouvelle faillit tourner la tête à ses deux aînées. Quand elles virent leur père prêt à partir, elles le prièrent de leur apporter des robes et toutes sortes de bagatelles. La Belle ne lui demandait rien.

– Tu ne me pries pas de t'acheter quelque chose ?
lui dit son père.

– Puisque vous avez la bonté de penser à moi, lui
dit-elle, je vous prie de m'apporter une rose car il
n'en vient point ici.

Le bonhomme partit ; mais quand il fut arrivé, on
lui fit un procès pour ses marchandises et après avoir
eu beaucoup de peine, il revint aussi pauvre qu'il
était auparavant.

Il n'avait plus que trente milles pour arriver chez
lui, et il se réjouissait déjà de voir ses enfants, mais

comme il fallait passer un grand bois avant de trouver sa maison, il se perdit ; il neigeait horriblement ; le vent était si grand qu'il le jeta deux fois à bas de son cheval. La nuit étant venue, il pensa qu'il mourrait de faim ou de froid, ou qu'il serait mangé par des loups qu'il entendait hurler.

Tout d'un coup, en regardant au bout d'une longue allée d'arbres, il vit une grande lumière, mais qui paraissait bien éloignée. Il marcha de ce côté-là et il vit que cette lumière sortait d'un grand palais qui était tout illuminé. Il se hâta d'arriver à ce château ; mais il fut bien surpris de ne trouver personne dans les cours. Son cheval, qui le suivait, voyant une écurie ouverte, entra dedans. Ayant trouvé du foin et de l'avoine, le pauvre animal, qui mourait de faim, se jeta dessus avec beaucoup d'avidité. Le marchand l'attacha dans l'écurie et marcha vers la maison, où il ne trouva personne ; mais, étant entré dans une grande salle, il y trouva un bon feu et une table chargée de viandes, où il n'y avait qu'un couvert.

Comme la pluie et la neige l'avaient mouillé jusqu'aux os, il s'approcha du feu pour se sécher : « Le maître de la maison ou les domestiques me pardonneront la liberté que j'ai prise et sans doute ils viendront bientôt. » Il attendit pendant un temps considérable ; mais onze heures ayant sonné sans qu'il vît personne, il ne put résister à la faim et prit un poulet qu'il mangea en deux bouchées et en tremblant ; il but aussi quelques coups de vin et, devenu plus hardi, il sortit de la salle et traversa plusieurs grands appartements magnifiquement meublés. A la fin, il trouva une chambre où il y avait un bon lit et, comme il était minuit passé, il se coucha. Il était dix heures du matin quand il s'éveilla le lendemain et il fut bien surpris de trouver un habit fort propre à la place du sien qui était tout gâté.

Le bonhomme sortit pour aller chercher son cheval et, comme il passait sous un berceau de roses, il se souvint que la Belle lui en avait demandé, et cueillit une branche où il y en avait plusieurs.

En même temps, il entendit un grand bruit et vit venir à lui une bête si horrible qu'il fut tout prêt de s'évanouir.

– Vous êtes bien ingrat, lui dit la Bête d'une voix terrible, je vous ai sauvé la vie en vous recevant dans mon château et, pour ma peine, vous me volez mes roses que j'aime mieux que toute chose au monde ; il vous faut mourir pour réparer cette faute.

Le marchand se jeta à genoux et dit à la Bête en joignant les mains :

– Monseigneur, pardonnez-moi, je ne croyais pas vous offenser en cueillant une rose pour une de mes filles qui m'en avait demandé.

– Je ne m'appelle pas Monseigneur, répondit le monstre, mais la Bête ; je n'aime point les compliments, moi, je veux qu'on dise ce qu'on pense ; ainsi, ne croyez pas me toucher par vos flatteries ; mais, vous m'avez dit que vous aviez des filles ; je veux vous pardonner, à condition qu'une de vos filles vienne volontairement pour mourir à votre place ; ne me raisonnez pas, partez ; et si vos filles refusent de mourir pour vous, jurez que vous reviendrez dans trois mois.

Le bonhomme n'avait pas le dessein de sacrifier une de ses filles à ce vilain monstre, mais il se dit en lui-même : « Au moins, j'aurais le plaisir de les embrasser encore une fois. » Il jura donc de revenir et la Bête lui dit de partir quand il voudrait.

Son cheval prit de lui-même une des routes de la forêt et en peu d'heures le bonhomme arriva dans sa petite maison. Ses enfants se rassemblèrent autour de lui, mais au lieu d'être sensible à leurs caresses, le marchand se mit à pleurer. Il tenait à la main la branche de roses qu'il apportait à la Belle ; il la lui donna et lui dit :

– La Belle, prenez ces roses, elles coûteront bien cher à votre malheureux père.

Et tout de suite il raconta à sa famille la funeste aventure qui lui était arrivée.

A ce récit, ses deux aînées jetèrent de grands cris et dirent des injures à la Belle, qui ne pleurait point.

– Pourquoi pleurerais-je la mort de mon père ? dit la Belle. Puisque le monstre veut bien accepter une de ses filles, je veux me livrer à toute sa furie, et je me trouve fort heureuse, puisqu'en mourant j'aurai la joie de sauver mon père et de lui prouver ma tendresse.

– Non, ma sœur, lui dirent ses trois frères, vous ne mourrez pas, nous irons trouver le monstre et nous périrons sous ses coups si nous ne pouvons le tuer.

– Mes enfants, leur dit le marchand, la puissance de cette bête est si grande qu'il ne me reste aucune espérance de le faire périr. Je suis charmé du bon cœur de la Belle, mais je ne veux pas l'exposer à la mort. Je suis vieux, il ne me reste que peu de temps à vivre ; ainsi je ne perdrai que quelques années de vie que je ne regrette qu'à cause de vous, mes chers enfants.

– Je vous assure, mon père, lui dit la Belle, que vous n'irez pas à ce palais sans moi ; vous ne pouvez m'empêcher de vous suivre. Quoique je sois jeune, je ne suis pas fort attachée à la vie, et j'aime mieux être dévorée par ce monstre que de mourir du chagrin que me donnerait votre perte.

On eut beau dire, la Belle voulut absolument partir pour le beau palais et ses sœurs étaient charmées parce que les vertus de cette cadette leur avaient inspiré beaucoup de jalousie.

La Belle apprit à son père qu'il était venu quelques gentilhommes pendant son absence ; qu'il y en avait deux qui aimaient ses sœurs. Elle pria son père de les marier ; car elle était si bonne qu'elle les aimait et leur pardonnait de tout son cœur le mal qu'elles lui avaient fait.

Ces deux méchantes filles se frottèrent les yeux avec un oignon pour pleurer lorsque la Belle partit avec son père ; mais ses frères pleuraient tout de bon aussi bien que le marchand : il n'y avait que la Belle qui ne pleurait point, parce qu'elle ne voulait pas augmenter leur douleur.

Le cheval prit la route du palais et sur le soir ils l'aperçurent, illuminé comme la première fois. Le cheval s'en fut tout sellé à l'écurie et le bonhomme entra avec sa fille dans la grande salle où ils trouvèrent une table magnifiquement servie avec deux couverts. La Belle se dit en elle-même : « La Bête veut m'engraisser avant de me manger puisqu'elle me fait faire si bonne chère. »

Quand ils eurent soupé, ils entendirent un grand bruit et le marchand dit adieu à sa pauvre fille en pleurant, car il pensait que c'était la Bête. La Belle ne put s'empêcher de frémir en voyant cette horrible figure ; mais elle se rassura de son mieux et, le monstre lui ayant demandé si c'était de bon cœur qu'elle était venue, elle lui dit en tremblant que oui.

– Vous êtes bien bonne, lui dit la Bête et je vous suis obligé. Bonhomme ! partez demain matin. Et ne vous avisez de revenir ici. Adieu, la Belle.

– Adieu, la Bête, répondit-elle. Et tout de suite le monstre se retira.

– Ah ! ma fille, dit le marchand, en embrassant la Belle, je suis à demi mort de frayeur. Croyez-moi, laissez-moi ici.

– Non, mon père, lui dit la Belle avec fermeté, vous partirez demain matin et vous m'abandonnerez au secours du ciel ; peut-être aura-t-il pitié de moi.

Ils allèrent se coucher.

Pendant son sommeil, la Belle vit une dame qui lui dit :

– Je suis contente de votre bon cœur, la Belle ; la bonne action que vous faites en donnant votre vie pour sauver celle de votre père ne demeurera pas sans récompense.

La Belle en s'éveillant raconta ce songe à son père ; et quoiqu'il le consolât un peu, cela ne l'empêcha pas de jeter de grands cris quand il fallut se séparer de sa chère fille.

Lorsqu'il fut parti, la Belle s'assit dans la grande salle et se mit à pleurer ; elle croyait fermement que la Bête la mangerait le soir. Elle résolut de se promener en attendant et de visiter ce beau château. Elle fut surprise de trouver une porte sur laquelle il y avait écrit : « Appartement de la Belle. » Elle ouvrit cette porte avec précipitation ; elle fut éblouie : une grande bibliothèque, un clavecin et plusieurs livres de musique. « On ne veut pas que je m'ennuie » dit-elle tout bas. Elle pensa ensuite : « Si je n'avais qu'un jour à demeurer ici, on ne m'aurait pas fait une telle provision. »

Elle ouvrit la bibliothèque et vit un livre où il y avait écrit en lettres d'or : « Souhaitez, commandez : vous êtes ici la reine et la maîtresse. »

– Hélas ! dit-elle en soupirant, je ne souhaite rien que de voir mon pauvre père et de savoir ce qu'il fait à présent.

Quelle fut sa surprise, en jetant les yeux sur un grand miroir, d'y voir sa maison où son père arrivait avec un visage extrêmement triste ! Ses sœurs venaient au-devant de lui et, malgré les grimaces qu'elles faisaient pour paraître affligées, la joie qu'elles avaient de la perte de leur sœur paraissait sur leur visage. Un moment après, tout cela disparut,

et la Belle ne put s'empêcher de penser que la Bête était bien complaisante et qu'elle n'avait rien à craindre d'elle.

A midi, elle trouva la table mise, et, pendant son dîner, elle entendit un excellent concert, quoiqu'elle ne vît personne.

Le soir, comme elle allait se mettre à table, elle entendit le bruit que faisait la Bête et ne put s'empêcher de frémir.

— La Belle, lui dit ce monstre, voulez-vous bien que je vous voie souper ?

— Vous êtes le maître, répondit la Belle en tremblant.

— Non, reprit la Bête, il n'y a ici de maîtresse que vous. Vous n'avez qu'à me dire de m'en aller si je vous ennuie, je sortirai tout de suite. Dites-moi, n'est-ce pas que vous me trouvez bien laid ?

— Cela est vrai, dit la Belle, car je ne sais pas mentir ; mais je crois que vous êtes fort bon.

— Vous avez raison, dit le monstre ; mais outre que je suis laid, je sens bien que je ne suis qu'une bête.

— On n'est point bête, reprit la Belle, quand on croit l'être. Un sot n'a jamais su cela.

— Mangez donc, la Belle, lui dit le monstre, et

tâchez de ne point vous ennuyer dans votre maison ;
car tout ceci est à vous, et j'aurais du chagrin si vous
n'étiez pas contente.

– Vous avez bien de la bonté, dit la Belle. Je vous
avoue que je suis contente de votre cœur. Quand j'y
pense, vous ne me paraissez pas si laid.

– Oh dame oui ! répondit la Bête, j'ai le cœur bon,
mais je suis un monstre.

La Belle soupa de bon appétit. Elle n'avait presque
plus peur du monstre, mais elle manqua mourir de
frayeur lorsqu'il dit :

– La Belle, voulez-vous être ma femme ?

Elle fut quelque temps sans répondre : elle avait peur d'exciter la colère du monstre en refusant ; elle lui dit pourtant en tremblant :

– Non, la Bête.

Le pauvre monstre voulut soupirer et fit un sifflement si épouvantable que tout le palais en retentit ; mais la Belle fut bientôt rassurée, car la Bête lui ayant dit tristement : « Adieu donc, la Belle », sortit de la chambre, en se retournant de temps en temps pour la regarder encore.

Belle se voyant seule, sentit une grande compassion pour cette pauvre Bête. « Hélas, disait-elle, c'est bien dommage qu'elle soit laide, elle est si bonne. »

Belle passa trois mois dans ce palais avec assez de tranquillité. Tous les soirs, la Bête lui rendait visite et l'entretenait pendant le souper.

Chaque jour, Belle découvrait de nouvelles bontés de ce monstre. Il n'y avait qu'une chose qui faisait de la peine à la Belle, c'est que le monstre, avant de se coucher, lui demandait toujours si elle voulait être sa femme, et paraissait pénétré de douleur lorsqu'elle lui disait non. Elle lui dit un jour :

– Vous me chagrinez, la Bête ; je suis trop sincère

pour vous faire croire que cela arrivera jamais : je serai toujours votre amie, tâchez de vous contenter de cela.

– Il faut bien, reprit la Bête, je me rends justice ; je sais bien que je suis horrible ; mais je vous aime beaucoup ; cependant je suis trop heureux de ce que vous voulez bien rester ; promettez-moi que vous ne me quitterez jamais.

La Belle rougit à ces paroles ; elle avait vu, dans son miroir, que son père était malade du chagrin de l'avoir perdue, et elle souhaitait le revoir.

– Je pourrais bien vous promettre de ne jamais vous quitter tout à fait, mais j'ai tant d'envie de revoir mon père que je mourrai de douleur si vous me refusez ce plaisir.

– J'aime mieux mourir moi-même, dit le monstre, que de vous donner du chagrin ; je vous enverrai chez votre père, vous y resterez, et votre pauvre Bête en mourra de douleur.

– Non, lui dit la Belle en pleurant, je vous aime trop pour vouloir causer votre mort. Je vous promets de revenir dans huit jours ; vous m'avez fait voir que mes sœurs sont mariées, et que mes frères sont partis pour l'armée ; mon père est tout seul, souffrez que je reste chez lui une semaine.

– Vous y serez demain au matin, dit la Bête, mais souvenez-vous de votre promesse ; vous n'aurez qu'à mettre votre bague sur une table en vous couchant, quand vous voudrez revenir. Adieu, la Belle.

La Bête soupira selon sa coutume, en disant ces mots, et la Belle se coucha toute triste de l'avoir affligée.

Quand elle se réveilla, le matin, elle se trouva dans la maison de son père. Le bonhomme manqua mourir de joie en revoyant sa chère fille, et ils se tinrent ensemble embrassés plus d'un quart d'heure.

La Belle s'habilla, on fit avertir ses sœurs qui accoururent avec leurs maris. Celles-ci manquèrent mourir de douleur quand elles la virent habillée comme une princesse et plus belle que le jour.

Elle eut beau les caresser, rien ne put étouffer leur jalousie. Ces deux jalouses descendirent dans le jardin, pour y pleurer tout à leur aise et elles se disaient :

– Pourquoi cette petite créature est-elle plus heureuse que nous ? Ne sommes-nous pas plus aimables qu'elle ?

– Ma sœur, dit l'aînée, il me vient une pensée, tâchons de l'arrêter ici plus de huit jours ; sa sotte Bête se mettra en colère de ce qu'elle lui aura manqué de parole et peut-être qu'elle la dévorera.

– Vous avez raison, ma sœur, répondit l'autre. Pour cela il faut lui faire de grandes caresses. Quand les huit jours furent passés, les deux sœurs s'arrachèrent les cheveux et firent tant les affligées de son départ qu'elle promit de rester encore huit jours.

Cependant la Belle se reprochait le chagrin qu'elle allait donner à sa pauvre Bête qu'elle aimait de tout son cœur ; et elle s'ennuyait de ne plus la voir. La dixième nuit qu'elle passa chez son père, elle rêva qu'elle était dans le jardin du palais, et qu'elle voyait la Bête couchée sur l'herbe, et prête à mourir, qui lui reprochait son ingratitude. La Belle se réveilla en sursaut, et versa des larmes.

– Ne suis-je pas bien méchante, dit-elle, de donner du chagrin à une Bête qui a pour moi tant de complaisance ! Est-ce ma faute si elle est si laide, et si elle a peu d'esprit ? Elle est bonne, cela vaut mieux que tout le reste. Allons, il ne faut point la rendre malheureuse, je me reprocherais toute la vie mon ingratitude.

A ces mots, la Belle se lève, met sa bague sur la table, et revient se coucher. A peine fut-elle dans son lit, qu'elle s'endormit ; et quand elle se réveilla, le matin, elle vit avec joie qu'elle était dans le palais de la Bête. Elle s'habilla magnifiquement pour lui plaire, et s'ennuya à mourir toute la journée, en attendant neuf heures du soir ; mais l'horloge eut beau sonner, la Bête ne parut point. La Belle, alors, craignit d'avoir causé sa mort. Elle courut dans tout le palais en jetant de grands cris ; elle était au désespoir. Après avoir cherché partout, elle se souvint de son rêve, et courut dans le jardin, vers le canal, où elle l'avait vue en dormant. Elle trouva la pauvre Bête étendue, sans connaissance, et elle crut

qu'elle était morte. Elle se jeta sur son corps sans avoir horreur de sa figure et, sentant que son cœur battait encore, elle prit de l'eau dans le canal et lui en jeta sur la tête. La Bête ouvrit les yeux, et dit à la Belle :

– Vous avez oublié votre promesse ! mais je meurs contente, puisque j'ai le plaisir de vous revoir encore une fois.

– Non, ma chère Bête, vous ne mourrez point, lui dit la Belle, vous vivrez pour devenir mon époux ; dès ce moment je vous donne ma main, et je jure que je ne serai qu'à vous. Hélas ! je croyais n'avoir que de l'amitié pour vous, mais la douleur que je sens me fait voir que je ne pourrais vivre sans vous.

La Belle se tourna vers sa chère Bête. Quelle fut sa surprise ! La Bête avait disparu, et elle ne vit plus à ses pieds qu'un prince plus beau que l'Amour, qui la remerciait d'avoir fini son enchantement. Quoique le prince méritât toute son attention, elle ne put s'empêcher de lui demander où était la Bête.

– Vous la voyez à vos pieds, lui dit le prince. Une méchante fée m'avait condamné à rester sous cette figure jusqu'à ce qu'une belle fille consentît à m'épouser ; et elle m'avait défendu de faire paraître mon esprit. Ainsi il n'y avait que vous dans le monde assez bonne pour vous laisser toucher de la bonté de mon caractère, et en vous offrant ma couronne, je ne puis m'acquitter des obligations que je vous ai.

La Belle, agréablement surprise, donna la main à ce beau prince pour le relever. Ils allèrent ensemble au château et la Belle manqua mourir de joie en trouvant dans la grande salle son père et toute sa famille, que la belle dame qui lui était apparue en songe avait transportés au château.

– Belle, lui dit cette dame qui était une grande fée, venez recevoir la récompense de votre bon

choix : vous avez préféré la vertu à la beauté et à l'esprit, vous méritez de trouver toutes ces qualités réunies en une seule personne. Vous allez devenir une grande reine : j'espère que le trône ne détruira pas vos vertus. Pour vous, mesdemoiselles, dit la Fée aux deux sœurs de Belle, je connais votre cœur et toute la malice qu'il renferme, devenez deux statues mais conservez votre raison sous la pierre qui vous enveloppera. Vous demeurerez à la porte du palais de votre sœur, et je ne vous impose point d'autre peine que d'être témoins de son bonheur. Vous ne pourrez revenir dans votre premier état qu'au moment où vous reconnaîtrez vos fautes ; mais j'ai bien peur que vous restiez toujours statues.

Dans le moment, la Fée donna un coup de baguette qui transporta tous ceux qui étaient dans cette salle dans le royaume du prince. Ses sujets le virent avec joie, et il épousa la Belle, qui vécut avec lui fort longtemps et dans un bonheur parfait, parce qu'il était fondé sur la vertu.

Les habits neufs
de l'empereur

Il y avait autrefois un empereur qui aimait tant les habits neufs, qu'il dépensait tout son argent à sa toilette. Lorsqu'il passait ses soldats en revue, lorsqu'il allait au spectacle ou à la promenade, il n'avait d'autre but que de montrer ses habits neufs. A chaque heure de la journée, il changeait de vêtements, et comme on dit d'un roi : « Il est au conseil », on disait de lui : « L'empereur est à sa garde-robe. »

La capitale était une ville bien gaie, grâce à la quantité d'étrangers qui passaient ; mais un jour il y vint aussi deux fripons qui se donnèrent pour des tisserands et déclarèrent savoir tisser la plus magnifique étoffe du monde. Non seulement les couleurs et le dessin étaient extraordinairement beaux, mais les vêtements confectionnés avec cette étoffe possédaient une qualité merveilleuse : ils devenaient invisibles pour toute personne qui ne savait pas bien exercer son emploi ou qui avait l'esprit trop borné.

« Ces vêtements sont inestimables, pensa l'empereur ; grâce à eux, je pourrai connaître les hommes incapables de mon gouvernement ; je saurai distinguer les habiles des niais. Oui, cette étoffe m'est indispensable. »

Puis il avança aux deux fripons une forte somme afin qu'ils puissent commencer immédiatement leur travail.

Ils installèrent deux métiers, et ils firent semblant de travailler, quoiqu'il n'y eût absolument rien sur les bobines. Sans cesse ils demandaient de la soie fine et de l'or magnifique ; mais ils mettaient tout cela dans leur sac, travaillant jusqu'au milieu de la nuit avec des métiers vides.

« Il faut cependant que je sache où ils en sont », se dit l'empereur.

Mais il se sentait le cœur serré en pensant que les personnes niaises ou incapables de remplir leurs fonctions ne pourraient voir l'étoffe. Ce n'était pas qu'il doutât de lui-même ; toutefois il jugea à propos d'envoyer quelqu'un pour examiner le travail avant lui. Tous les habitants de la ville connaissaient la qualité merveilleuse de l'étoffe, et tous brûlaient d'impatience de savoir combien leur voisin était borné ou incapable. « Je vais envoyer aux tisserands mon bon vieux ministre, pensa l'empereur, c'est lui qui peut le mieux juger l'étoffe ; il se distingue autant par son esprit que par ses capacités. »

L'honnête vieux ministre entra dans la salle où les deux imposteurs travaillaient les métiers vides.

« Bon Dieu ! pensa-t-il en ouvrant de grands yeux, je ne vois rien. »

Mais il n'en dit mot.

Les deux tisserands l'invitèrent à s'approcher, et lui demandèrent comment il trouvait le dessin et les couleurs. En même temps ils montrèrent leurs métiers, et le vieux ministre y fixa ses regards ; mais il ne vit rien, pour la raison bien simple qu'il n'y avait rien.

« Bon Dieu ! pensa-t-il, serais-je vraiment borné ? Il faut que personne ne s'en doute. Serais-je vraiment

incapable ? Je n'ose avouer que l'étoffe est invisible pour moi. »

– Eh bien ! qu'en dites-vous ? dit l'un des tisserands.

– C'est charmant, c'est tout à fait charmant ! répondit le ministre en mettant ses lunettes. Ce dessin et ces couleurs... oui, je dirai à l'empereur que j'en suis très content.

– C'est heureux pour nous, dirent les deux tisserands. Et ils se mirent à lui montrer des couleurs et des dessins imaginaires en leur donnant des noms.

Le vieux ministre prêta la plus grande attention, pour répéter à l'empereur toutes leurs explications.

Les fripons demandaient toujours de l'argent, de la soie et de l'or ; il en fallait énormément pour ce tissu. Bien entendu, ils empochèrent le tout ; le métier restait vide et ils travaillaient toujours.

Quelque temps après, l'empereur envoya un autre fonctionnaire honnête pour examiner l'étoffe et voir si elle s'achevait. Il arriva à ce nouveau député la même chose qu'au ministre ; il regardait et regardait toujours, mais ne voyait rien.

– N'est-ce pas que le tissu est admirable ? demandèrent les deux imposteurs en montrant et expliquant le superbe dessin et les belles couleurs qui n'existaient pas.

« Cependant je ne suis pas niais ! pensait l'homme. C'est donc que je ne suis pas capable de remplir ma place ? C'est assez drôle, mais je prendrai bien garde de la perdre. »

Puis il fit l'éloge de l'étoffe, et témoigna toute son admiration pour le choix des couleurs et le dessin.

– C'est d'une magnificence incomparable, dit-il à l'empereur, et toute la ville parla de cette étoffe extraordinaire.

Enfin, l'empereur lui-même voulut la voir pendant qu'elle était encore sur le métier. Accompagné d'une foule d'hommes choisis, parmi lesquels se trouvaient les deux honnêtes fonctionnaires, il se rendit auprès des adroits filous qui tissaient toujours. Mais sans fil de soie, ni d'or, ni aucune espèce de fil.

– N'est-ce pas que c'est magnifique ! dirent les deux honnêtes fonctionnaires. Le dessin et les couleurs sont dignes de Votre Altesse.

Et ils montrèrent du doigt le métier vide, comme si les autres avaient pu y voir quelque chose.

« Qu'est-ce donc ? pensa l'empereur, je ne vois rien. C'est terrible. Est-ce que je ne serais qu'un niais ? Est-ce que je serais incapable de gouverner ? Jamais rien ne pouvait m'arriver de plus malheureux. » Puis tout à coup il s'écria :

– C'est magnifique ! J'en témoigne ici toute ma satisfaction.

Il hocha la tête d'un air content, et regarda le métier sans oser dire la vérité. Tous les gens de sa suite regardèrent de même, les uns après les autres, mais sans rien voir, et ils répétaient comme l'empereur : « C'est magnifique ! » Ils lui conseillèrent même de revêtir cette nouvelle étoffe à la première grande procession. « C'est magnifique ! C'est charmant ! C'est admirable ! » s'exclamaient toutes les bouches et la satisfaction était générale.

Les deux imposteurs furent décorés, et reçurent le titre de gentilhommes tisserands.

Toute la nuit qui précéda le jour de la procession, ils veillèrent et travaillèrent à la clarté de seize bougies. La peine qu'ils se donnaient était visible à tout le monde. Enfin, ils firent semblant d'ôter l'étoffe du métier, coupèrent dans l'air avec de grands ciseaux, cousirent avec une aiguille sans fil, après quoi ils déclarèrent que le vêtement était achevé.

L'empereur, suivi de ses aides de camp, alla l'examiner, et les filous, levant un bras en l'air comme s'ils tenaient quelque chose, dirent :

– Voici le pantalon, voici l'habit, voici le manteau. C'est léger comme de la toile d'araignée. Il n'y a pas de danger que cela vous pèse sur le corps, et voilà surtout en quoi consiste la vertu de cette étoffe.

– Certainement, répondirent les aides de camp. Mais ils ne voyaient rien, puisqu'il n'y avait rien.

– Si Votre Altesse daigne se déshabiller, dirent les fripons, nous lui essayerons les habits devant la grande glace.

L'empereur se déshabilla, et les fripons firent semblant de lui présenter une pièce après l'autre. Ils lui prirent le corps comme pour lui attacher quelque chose. Il se tourna et se retourna devant la glace.

– Grand Dieu ! Que cela va bien ! Quelle coupe élégante ! s'écrièrent tous les courtisans. Quel dessin ! Quelles couleurs ! Quel précieux costume !

Le grand maître des cérémonies entra.

– Le dais sous lequel Votre Altesse doit assister à la procession est à la porte, dit-il.

– Bien ! je suis prêt, répondit l'empereur. Je crois que je ne suis pas mal ainsi.

Et il se tourna encore une fois devant la glace pour bien regarder l'effet de sa splendeur.

Les chambellans qui devaient porter la queue firent semblant de ramasser quelque chose par terre ; puis ils élevèrent les mains, ne voulant pas convenir qu'ils ne voyaient rien du tout.

Tandis que l'empereur cheminait fièrement à la procession sous son dais magnifique, tous les hommes, dans la rue et aux fenêtres, s'écriaient :

– Quel superbe costume ! Comme la queue en est gracieuse ! Comme la coupe en est parfaite !

Nul ne voulait laisser voir qu'il ne voyait rien :

il aurait été déclaré niais ou incapable de remplir un emploi. Jamais les habits de l'empereur n'avaient excité une telle admiration.

– Mais il me semble qu'il n'a pas du tout d'habit, observa un petit enfant.

– Seigneur Dieu, entendez la voix de l'innocence ! dit le père.

Et bientôt on chuchota dans la foule en répétant les paroles de l'enfant.

– Il y a un petit enfant qui dit que l'empereur n'a pas d'habit du tout !

– Il n'a pas du tout d'habit ! s'écria enfin tout le peuple.

L'empereur en fut extrêmement mortifié, car il lui semblait qu'ils avaient raison. Cependant il se raisonna et prit sa résolution :

« Quoi qu'il en soit, il faut que je reste jusqu'à la fin ! »

Puis, il se redressa plus fièrement encore, et les chambellans continuèrent à porter avec respect la queue qui n'existait pas.

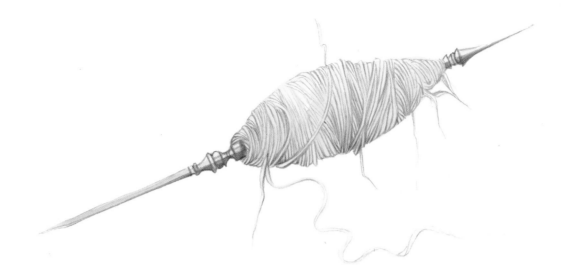

Outroupistache

Il y avait une fois un meunier qui était pauvre, mais il avait une belle fille. Or, il arriva qu'il eut l'occasion de parler au roi, et, pour se faire valoir, il lui dit :

– J'ai une fille qui, en filant de la paille, en fait de l'or.

– Voilà un talent qui me plaît, répondit le roi. Si ta fille est si adroite, amène-la moi demain au château ; je veux la mettre à l'épreuve.

Quand la jeune fille arriva, il la conduisit dans une chambre remplie de paille, lui donna un rouet et une quenouille et lui dit :

– Maintenant, mets-toi à l'œuvre, et d'ici à demain matin, si tu n'as pas filé cette paille en or, apprête-toi à mourir.

Là-dessus, il ferma lui-même la porte de la chambre, et elle resta seule.

Et la pauvre meunière restait là assise, sans plus savoir que devenir, ne sachant nullement comment on peut changer de la paille en or, et son angoisse devint si grande qu'elle se mit à pleurer. Tout à coup la porte s'ouvrit, et il entra un petit homme qui lui dit :

– Bonsoir, belle meunière. Pourquoi pleures-tu si fort ?

– Hélas ! répondit la jeune fille, il faut que je file en or cette paille, et je n'y entends rien.

– Que me donnes-tu si je la file pour toi ? demanda le petit homme.

– Mon collier, dit la jeune fille.

Le petit homme prit le collier, s'assit au rouet, et se mit à filer, filer, filer, et il n'eut pas tiré trois fois que la bobine se trouva pleine. Il la remplaça par une autre, et se mit à filer, filer, filer, et il n'eut pas tiré trois fois que la seconde se trouva pleine aussi, et cela continua ainsi jusqu'au matin.

Alors toute la paille se trouva filée et toutes les bobines pleines d'or.

Sitôt le soleil levé, le roi arriva. Quand il vit tout cet or, il s'émerveilla et se réjouit beaucoup, mais son cœur n'en devint que plus avide encore. Il fit conduire la meunière dans une chambre encore beaucoup plus grande, pleine de paille, et lui ordonna aussi de tout filer en une nuit, si elle tenait à la vie. La jeune fille, ne sachant comment s'en tirer, se mit à pleurer, quand la porte s'ouvrit encore une fois. Le petit homme apparut et dit :

– Que me donnes-tu si je te file en or cette paille ?

– La bague que j'ai au doigt, répondit la jeune fille.

Le petit homme prit la bague, se remit à filer au rouet, et le lendemain matin il avait converti toute la paille en or étincelant.

A cette vue, le roi fut enchanté ; mais n'étant pas encore rassasié d'or, il fit conduire la meunière dans une chambre pleine de paille, encore plus grande, et lui dit :

– Tu vas me filer encore tout cela cette nuit, et si tu réussis, tu deviendras mon épouse.

« Bien que ce soit une simple meunière », pensait-il, « je ne pourrais pas trouver au monde une femme plus riche. »

Quand la jeune fille fut seule, le petit homme revint une troisième fois et dit :

– Que me donnes-tu si je file cette paille encore cette fois-ci ?

– Je n'ai plus rien que je puisse donner, répondit la jeune fille.

– Alors promets-moi ton premier enfant, si tu deviens reine.

« Qui sait ce qu'il en sera ? » pensa la meunière, sans savoir d'ailleurs comment s'en tirer autrement.

Elle promit donc au petit homme ce qu'il désirait, et il fila encore une fois toute la paille en or. Le matin, quand le roi arriva et trouva tout comme il l'avait désiré, il fit préparer la noce, et la belle meunière devint reine.

Un an après, elle mit au monde un bel enfant, et ne pensait plus au petit homme, quand celui-ci entra tout à coup dans sa chambre et lui dit :

– Allons, donne-moi ce que tu m'as promis.

La reine tressaillit et offrit au petit homme tous les trésors du royaume s'il voulait lui laisser son enfant.

Mais le petit homme répondit :

– Non, j'aime mieux quelque chose de vivant que tous les trésors du monde.

Alors la reine se mit à gémir et à pleurer, ce qui finit par apitoyer le petit homme qui lui dit :

– Je t'accorde trois jours ; si pendant ce temps-là tu arrives à savoir mon nom, je te laisse ton enfant.

Pendant toute la nuit la reine se mit donc à penser à tous les noms qu'elle eût jamais entendus, et envoya un messager dans le pays chargé de s'informer de tous les noms possibles. Le lendemain, quand le petit homme revint, elle se mit à parler de Gaspard, Melchior, Balthazar, en disant à la file tous les noms

qu'elle savait ; mais à chaque nom, le petit homme
répondait toujours :

– Je ne m'appelle pas ainsi.

Le lendemain, elle fit interroger tout le voisinage
pour savoir comment les gens s'y appelaient, et ré-
péta au petit homme les noms les plus étranges et
les plus rares :

– Ne t'appelles-tu pas Côte-de-bête ou Gigot-de-
mouton ou Jambe-serrée ?

Mais il répondit toujours :

– Je ne m'appelle pas ainsi.

Le troisième jour, le messager revint et raconta qu'il n'avait plus trouvé un seul nom nouveau :

– Seulement, en arrivant à une grande montagne, au coin du bois où renards et lièvres se disent bonne nuit, je vis là une petite maison devant laquelle brûlait un feu, et autour du feu sautillait un petit homme très drôle qui dansait à cloche-pied et criait :

Aujourd'hui je pétris. Demain je brasse la bière,
Après-demain je vais chercher l'enfant de la reine,
Quel bonheur que personne ne sache
Que je m'appelle Outroupistache !

Vous pouvez penser si la reine fut contente en apprenant ce nom et, un peu plus tard, quand le petit homme entra en lui demandant :

– Comment est-ce que je m'appelle ?

Elle répondit :

– Ne t'appelles-tu pas comme ci ?

– Non.

– Ne t'appelles-tu pas comme ça ?

– Non.

– Ne t'appellerais-tu pas Outroupistache ?

– Il faut que ce soit le diable qui te l'ait dit ! Il faut que ce soit le diable qui te l'ait dit ! s'écria le petit homme.

Et dans sa colère il frappa si violemment la terre de son pied droit que sa jambe y entra jusqu'au ventre ; aussi, dans sa rage, saisit-il aussitôt son pied gauche des deux mains et se fendit lui-même de bas en haut.

Yorinde et Yoringel

Il y avait une fois un vieux château au milieu d'une grande forêt sombre, dans laquelle habitait une vieille femme toute seule ; c'était une maîtresse sorcière. Le jour, elle se changeait en chat ou en chouette, et le soir elle reprenait forme humaine.

Elle savait attirer le gibier et les oiseaux pour les tuer, les cuire et les rôtir. Dès que quelqu'un approchait du château, à cent pas à la ronde, il était obligé de s'arrêter et ne pouvait plus bouger jusqu'à ce qu'elle le délivrât ; et quand c'était une jeune fille vierge qui entrait dans ce cercle, elle la changeait en oiseau, l'enfermait dans un panier et emportait le panier dans une chambre du château. Elle avait bien sept mille paniers semblables, avec des oiseaux rares, dans le château.

Or, il y avait une fois une jeune fille qui s'appelait Yorinde. Elle était plus belle que toutes les autres jeunes filles. Elle et un beau jeune homme du nom de Yoringel s'étaient fiancés. Ils étaient aux jours des fiançailles et étaient tout ravis l'un de l'autre. Un jour, afin de pouvoir causer plus intimement ensemble, ils allèrent se promener au bois.

– Prends garde, dit Yoringel, de ne pas trop t'approcher du château.

C'était une fin d'après-midi, le soleil resplendissait entre les arbres dans la verdure foncée de la forêt et la tourterelle gémissait en haut d'un vieux hêtre.

Par moments Yorinde pleurait. Assise au soleil, elle gémissait. Yoringel gémissait aussi. Ils étaient troublés comme si leur mort avait été toute proche. Ils regardaient autour d'eux et, égarés, ne savaient plus par où rentrer chez eux. Le soleil se trouvait encore à moitié sur la montagne et déjà à moitié derrière. En regardant à travers les branches, Yorin-

gel aperçut tout près les vieux murs du château. Il tressaillit, et fut pris d'une angoisse mortelle. Yorinde chantait :

Petit oiseau à bague rouge
Chante douleur ! Douleur ! Douleur !
Chante la mort de la colombe,
Chante douleur... Tsikuth ! Tsikuth ! Tsikuth !

Yoringel regarda Yorinde. Celle-ci venait d'être changée en rossignol, et chantait :

– Tsikuth ! Tsikuth !

Une chouette, aux yeux ardents, plana trois fois autour d'elle et cria trois fois :

– Hou ! Hou ! Hou !

Yoringel ne pouvait plus bouger ; il restait immobile comme une pierre, sans pleurer, ni parler, ni remuer pieds ni mains. Le soleil s'était couché. La chouette s'envola dans un buisson, d'où sortit bientôt une vieille femme courbée, jaune et maigre, avec de gros yeux rouges et un nez crochu, dont la pointe descendait jusqu'au menton. Elle grommela, prit le rossignol dans sa main et l'emporta. Yoringel ne pouvait rien dire, ni bouger de place. Le rossignol était parti.

Enfin la vieille revint et dit d'une voix étouffée :

– Bonjour, Zachiel ; quand la lune luira dans le panier, délie-le, Zachiel, au bon moment.

Alors Yoringel fut délivré. Il tomba à genoux devant la vieille en la priant de lui rendre sa Yorinde, mais elle lui répondit qu'il ne la reverrait plus et s'en alla. Il eut beau crier, pleurer et gémir, tout fut inutile.

– Que vais-je devenir ! soupira Yoringel en s'éloignant ; et il finit par arriver dans un village inconnu.

Là, il fut longtemps berger de moutons. Souvent il allait du côté du château, mais sans en approcher. Enfin, une nuit, il rêva qu'il trouvait une fleur rouge au milieu de laquelle il y avait une belle grosse perle. En rêve, il la cueillit et marcha jusqu'au château. Tout ce qu'il touchait avec cette fleur était délivré. Il rêva également qu'il avait ainsi reconquis sa Yorinde. Le matin, quand il se réveilla, il se mit à chercher, par monts et par vaux, une fleur pareille. Il chercha ainsi pendant neuf jours et trouva alors la fleur, de grand matin. Au milieu était une grosse goutte de rosée, aussi grosse que la plus belle perle. Il porta cette fleur nuit et jour jusqu'au château.

Arrivé à cent pas du château, il ne fut nullement arrêté et put atteindre la porte. Yoringel était tout joyeux ; il toucha la porte avec la fleur et elle s'ouvrit. Il entra, traversa la cour, épia pour savoir d'où il entendait tant d'oiseaux et le comprit enfin. Il s'avança, trouva une salle dans laquelle la sorcière donnait à manger aux oiseaux dans les sept mille paniers. En voyant Yoringel, elle devint furieuse, se mit à pester et à vomir contre lui son venin et sa bile, mais il lui était impossible de l'approcher plus près qu'à deux pas. Il ne fit pas attention à elle et

alla visiter les paniers remplis d'oiseaux ; mais comme il y avait là des centaines de rossignols, il ne lui était pas facile de retrouver sa Yorinde.

Pendant qu'il cherchait, il s'aperçut que la vieille s'était emparée d'un panier avec un oiseau et tâchait de gagner la porte. Il s'élança aussitôt, toucha de sa fleur le panier et la vieille, qui perdit du coup toute sa puissance de sorcière. Yorinde se retrouva là, qui lui sautait au cou, aussi belle qu'autrefois. Il transforma de même en jeunes filles tous les autres oiseaux ; il s'en retourna à la maison avec sa Yorinde et ils vécurent longtemps heureux.

Cendrillon

Il était une fois un gentilhomme qui épousa en secondes noces une femme, la plus hautaine et la plus fière qu'on eût jamais vue. Elle avait deux filles de son humeur, et qui lui ressemblaient en toutes choses. Le mari avait de son côté une jeune fille, mais d'une douceur et d'une bonté sans exemple ; elle tenait cela de sa mère, qui avait été la meilleure personne du monde.

Les noces ne furent pas plus tôt faites, que la belle-mère fit éclater sa mauvaise humeur ; elle ne put souffrir les bonnes qualités de cette jeune enfant, qui rendaient ses filles encore plus haïssables. Elle la chargea des plus viles occupations de la maison : c'était elle qui nettoyait la vaisselle et les escaliers, qui frottait la chambre de Madame, et celles de Mesdemoiselles ses filles ; elle couchait tout en haut de la maison, dans un grenier, sur une méchante paillasse, pendant que ses sœurs étaient dans des chambres parquetées, où elles avaient des lits des plus à la mode, et des miroirs où elles se voyaient depuis les pieds jusqu'à la tête.

La pauvre fille souffrait tout en patience, et n'osait s'en plaindre à son père qui l'aurait grondée, parce que sa femme le gouvernait entièrement. Lorsqu'elle avait fait son travail, elle s'allait mettre au coin de la cheminée, et s'asseoir dans les cendres, ce qui faisait qu'on l'appelait communément dans le logis Cucendron. La cadette, qui n'était pas si méchante que son aînée, l'appelait Cendrillon ; cependant Cendrillon, avec ses méchants habits, ne laissait pas d'être cent fois plus belle que ses sœurs, quoique vêtues très magnifiquement.

Il arriva que le fils du Roi donna un bal, et qu'il invita toutes les personnes de qualité : nos deux Demoiselles y furent aussi invitées, car elles comptaient beaucoup dans le pays. Les voilà bien contentes et

bien occupées à choisir les habits et les coiffures qui leur iront le mieux ; nouvelle peine pour Cendrillon, car c'était elle qui repassait le linge de ses sœurs et qui empesait leurs cols. On ne parlait que de la manière dont on s'habillerait.

– Moi, dit l'aînée, je mettrai mon habit de velours rouge et mon col en dentelle.

– Moi, dit la cadette, je n'aurai que ma jupe ordinaire ; mais en revanche, je mettrai mon manteau à fleurs d'or, et ma barrette de diamants.

Elles appelèrent Cendrillon pour lui demander son avis, car elle avait bon goût. Cendrillon les conseilla le mieux du monde, et s'offrit même à les coiffer. Elles lui disaient :

– Cendrillon, serais-tu bien aise d'aller au bal ?

– Hélas ! Mesdemoiselles, vous vous moquez de moi, ce n'est pas là ce qu'il me faut.

– Tu as raison, on rirait bien si on voyait un Cucendron aller au bal.

Une autre que Cendrillon les aurait coiffées de travers ; mais elle était bonne, et elle les coiffa parfaitement bien. Elles furent près de deux jours sans manger, tant elles étaient transportées de joie. On cassa plus de douze lacets à force de les serrer pour leur rendre la taille plus menue, et elles étaient tou-

jours devant leur miroir. Enfin l'heureux jour arriva, on partit, et Cendrillon les suivit des yeux le plus longtemps qu'elle put ; lorsqu'elle ne les vit plus, elle se mit à pleurer. Sa Marraine, qui la vit tout en pleurs, lui demanda ce qu'elle avait.

– Je voudrais bien... je voudrais bien...

Elle pleurait si fort qu'elle ne put achever. Sa Marraine, qui était Fée, lui dit :

– Tu voudrais bien aller au bal, n'est-ce pas ?

– Hélas oui, dit Cendrillon en soupirant.

– Hé bien, seras-tu bonne fille ? dit la Marraine, je t'y ferai aller.

Elle la mena dans sa chambre, et lui dit :

– Va dans le jardin et apporte-moi une citrouille.

Cendrillon alla aussitôt cueillir la plus belle qu'elle put trouver, et la porta à sa Marraine, ne pouvant deviner comment cette citrouille la pourrait faire aller au bal. Sa Marraine la creusa, et n'ayant laissé que l'écorce, la frappa de sa baguette, et la citrouille fut aussitôt changée en un beau carrosse tout doré. Ensuite elle alla regarder dans sa souricière, où elle trouva six souris toutes en vie ; elle dit à Cendrillon de lever un peu la trappe de la souricière, et à chaque souris qui sortait, elle donnait un coup de sa baguette, et la souris était aussitôt changée en un beau cheval ; ce qui fit un bel attelage de six chevaux, d'un beau gris souris pommelé. Comme elle était en peine de quoi elle ferait un cocher :

– Je vais voir, dit Cendrillon, s'il n'y a point quelque rat dans la ratière, nous en ferons un cocher.

– Tu as raison, dit sa Marraine, va voir.

Cendrillon lui apporta la ratière, où il y avait trois gros rats. La Fée en prit un d'entre les trois, à cause de sa maîtresse barbe, et l'ayant touché, il fut changé en un gros cocher, qui avait une des plus belles moustaches qu'on ait jamais vues. Ensuite elle lui dit :

– Va dans le jardin, tu y trouveras six lézards derrière l'arrosoir, apporte-les-moi.

Elle ne les eut pas plus tôt apportés que la Marraine les changea en six laquais, qui montèrent aussitôt derrière le carrosse avec leurs habits chamarrés, et qui s'y tenaient attachés, comme s'ils n'eussent fait autre chose toute leur vie. La Fée dit alors à Cendrillon :

– Hé bien, voilà de quoi aller au bal, n'es-tu pas bien contente ?

– Oui, mais est-ce que j'irai comme cela avec mes vilains habits ?

Sa Marraine ne fit que la toucher avec sa baguette, et en même temps ses habits furent changés en des habits de drap d'or et d'argent tout brodés de pierreries ; elle lui donna ensuite une paire de pantoufles de verre, les plus jolies du monde. Quand elle fut ainsi parée, elle monta en carrosse ; mais sa Marraine lui recommanda sur toutes choses de ne pas dépasser minuit, l'avertissant que si elle demeurait au bal un moment de plus, son carrosse redeviendrait citrouille, ses chevaux des souris, ses laquais des lézards, et que ses vieux habits reprendraient leur première forme. Elle promit à sa Marraine qu'elle ne manquerait pas de sortir du bal avant minuit.

Elle partit, ne se sentant pas de joie. Le fils du Roi, qu'on alla avertir qu'il venait d'arriver une grande Princesse qu'on ne connaissait point, courut la recevoir ; il lui donna la main à la descente du carrosse, et la mena dans la salle de bal. Il se fit alors un grand silence ; on cessa de danser et les violons ne jouèrent plus, tant on était attentif à contempler la grande beauté de cette inconnue. On n'entendait qu'un bruit confus : « Ah, qu'elle est belle ! » Le Roi

même, tout vieux qu'il était, ne cessait de la regarder, et de dire tout bas à la Reine qu'il y avait longtemps qu'il n'avait vu une si belle et si aimable personne. Toutes les dames étaient attentives à considérer sa coiffure et ses habits, pour en avoir dès le lendemain de semblables, pourvu qu'il se trouvât des étoffes assez belles, et des ouvriers assez habiles. Le fils du Roi la mit à la meilleure place et ensuite l'emmena danser. Elle dansa avec tant de grâce, qu'on l'admira encore davantage. On apporta une fort belle collation, dont le jeune Prince ne mangea point, tant il était occupé à la contempler. Elle alla s'asseoir auprès de ses sœurs, et leur fit mille gentillesses : elle leur offrit des oranges et des citrons que le Prince lui avait donnés, ce qui les étonna fort, car elles ne la connaissaient point. Alors qu'elles causaient ainsi, Cendrillon entendit sonner minuit moins le quart : elle fit aussitôt une grande révérence à la compagnie, et s'en alla le plus vite qu'elle put. Dès qu'elle fut arrivée, elle alla trouver sa Marraine, et après l'avoir remerciée, elle lui dit qu'elle souhaiterait bien aller encore le lendemain au bal, parce que le fils du Roi l'en avait priée. Comme elle était occupée à raconter à sa Marraine tout ce qui s'était passé au bal, les deux sœurs frappèrent à la porte ; Cendrillon alla leur ouvrir.

– Que vous avez mis longtemps à revenir ! leur dit-elle en bâillant, en se frottant les yeux, et en s'étirant comme si elle se réveillait. Elle n'avait cependant pas eu envie de dormir depuis qu'elles s'étaient quittées.

– Si tu étais venue au bal, lui dit une de ses sœurs, tu ne t'y serais pas ennuyée : il y est venu la plus belle Princesse, la plus belle qu'on puisse jamais voir ; elle nous a fait mille amabilités, elle nous a donné des oranges et des citrons.

Cendrillon ne se sentait pas de joie : elle leur demanda le nom de cette Princesse ; mais elles lui répondirent qu'on ne la connaissait pas, que le fils du Roi en était fort en peine, et qu'il donnerait toutes choses au monde pour savoir qui elle était. Cendrillon sourit et leur dit :

– Elle était donc bien belle ? Mon Dieu, que vous êtes heureuses, ne pourrais-je point la voir ? Hélas ! Mademoiselle Javotte, prêtez-moi votre habit jaune que vous mettez tous les jours.

– Vraiment, dit Mademoiselle Javotte, je ne suis pas de cet avis ! Prêter mon habit à un vilain Cucendron comme cela : il faudrait que je fusse bien folle.

Cendrillon s'attendait bien à ce refus, et elle en fut bien aise, car elle aurait été grandement embarrassée si sa sœur avait bien voulu lui prêter son habit. Le lendemain, les deux sœurs furent au bal, et Cendrillon aussi, mais encore plus parée que la première fois. Le fils du Roi fut toujours auprès d'elle, et ne cessa de lui conter des douceurs ; la jeune demoiselle ne s'ennuyait point, et oublia ce que sa Marraine lui avait recommandé ; de sorte qu'elle entendit sonner le premier coup de minuit alors qu'elle croyait qu'il n'était encore que onze heures : elle se leva et s'enfuit aussi légèrement qu'aurait fait une biche. Le

Prince la suivit, mais il ne put l'attraper ; elle laissa tomber une de ses pantoufles de verre, que le Prince ramassa bien soigneusement. Cendrillon arriva chez elle bien essoufflée, sans carrosse, sans laquais, et avec ses méchants habits, rien ne lui étant resté de toute sa splendeur qu'une de ses petites pantoufles, la pareille de celle qu'elle avait laissée tomber. On demanda aux gardes de la porte du Palais s'ils n'avaient point vu sortir une Princesse ; ils dirent qu'ils n'avaient vu sortir personne, qu'une jeune fille fort mal vêtue, et qui avait plus l'air d'une paysanne

que d'une demoiselle. Quand ses deux sœurs revinrent du bal, Cendrillon leur demanda si elles s'étaient encore bien amusées, et si la belle dame y avait été ; elles lui dirent que oui, mais qu'elle s'était enfuie lorsque minuit avait sonné, et si promptement qu'elle avait laissé tomber une de ses petites pantoufles de verre, la plus jolie du monde ; que le fils du Roi l'avait ramassée, et qu'il n'avait fait que la regarder pendant tout le reste du bal, et qu'assurément il était fort amoureux de la belle personne à qui appartenait la petite pantoufle. Elles dirent vrai, car peu de jours après, le fils du Roi fit publier à son de trompe qu'il épouserait celle dont le pied entrerait juste dans la pantoufle. On commença à l'essayer aux Princesses, ensuite aux Duchesses, et à toute la Cour, mais inutilement. On l'apporta chez les deux sœurs, qui firent tout leur possible pour faire entrer leur pied dans la pantoufle, mais elles ne purent y parvenir. Cendrillon, qui les regardait, et qui reconnut sa pantoufle, dit en riant :

– Que je voie si elle ne m'irait pas !

Ses sœurs se mirent à rire et à se moquer d'elle. Le gentilhomme qui faisait l'essai de la pantoufle, ayant regardé attentivement Cendrillon, et la trouvant fort belle, dit que cela était juste, et qu'il avait

ordre de l'essayer à toutes les filles. Il fit asseoir Cendrillon, et approchant la pantoufle de son petit pied, il vit qu'elle y entrait sans peine, et qu'elle était comme moulée sur son pied. L'étonnement des deux sœurs fut grand, mais plus grand encore quand Cendrillon tira de sa poche l'autre petite pantoufle qu'elle mit à son pied. Là-dessus arriva la Marraine, qui, ayant donné un coup de sa baguette sur les habits de Cendrillon, les fit devenir encore plus magnifiques que tous les autres.

Alors, ses deux sœurs la reconnurent pour la belle personne qu'elles avaient vue au bal. Elles se jetèrent à ses pieds pour lui demander pardon de tous les mauvais traitements qu'elles lui avaient fait souffrir. Cendrillon les releva, et leur dit, en les embrassant, qu'elle leur pardonnait de bon cœur, et qu'elle les priait de l'aimer bien toujours. On la mena chez le jeune Prince, parée comme elle était : il la trouva encore plus belle que jamais, et, peu de jours après, il l'épousa. Cendrillon, qui était aussi bonne que belle, fit loger ses deux sœurs au Palais, et les maria dès le jour même à deux grands Seigneurs de la Cour.

Renart
et les marchands
de poisson

L'hiver était arrivé. Le garde-manger de Renart était vide. Poussé par la faim, il errait près des villages, sans peur des hommes. Couché sous une haie, au bord d'une route pavée, il attendait une bonne aventure.

Arrive au grand trot une charrette. Ce sont des marchands de poisson qui ont affaire à la ville. Ils ont une montagne de harengs frais, car la bise a soufflé toute la semaine. Ils ont aussi des paniers

pleins de poissons, grands et petits, d'étang et de rivière : lamproies, anguilles, carpes, truites et saumons.

Ils sont encore à une portée d'arc.

Renart, excité par la vue et l'odeur de la charrette, a imaginé un bon tour. Couché au milieu de la route, il semble mort. Il a les pattes en l'air, les yeux clos, la respiration arrêtée.

L'un des marchands le remarque et dit à son compagnon :

– Ramassons ce renard. Voilà une belle peau facilement gagnée !

Ils approchent, tâtent la bête, la retournent, sans redouter les morsures. Ils estiment le dos et la gorge.

– Nous le vendrons trois sols, dit l'un.

– Nous le vendrons bien quatre, dit l'autre, et ce n'est pas cher ! Regardez comme la gorge est blanche !

Ils lancent Renart sur la charrette, et en route de nouveau ! Ils babillent gaiement :

– Ce soir en rentrant à la maison, nous lui ferons sa toilette de nuit ! Nous l'écorcherons !

Renart les laisse parler, et, tout bas, pouffe de rire.

Il est à plat ventre sur les paniers, et, avec ses dents, il en a percé un. Puis il en a tiré plus de trente harengs. Il les a croqués tout crus, avec les arêtes, sans réclamer ni sel, ni fines herbes, ni moutarde. Le premier panier vide, il en attaque un deuxième. Il en tire une demi-douzaine d'anguilles. Elles étaient enfilées par les ouïes, sur un brin d'osier noué. Renart passe la tête et le cou dans la boucle d'osier, et arrange les anguilles sur son dos. Puis il saute à terre et dit aux marchands :

– Bonsoir et bonne route ! J'emporte ces deux ou trois anguilles et vous laisse volontiers tout le reste !

Les marchands bondissent à sa poursuite. De rage, ils battent des mains et se tapent sur la tête.

– Étions-nous fous ! Au diable la sale bête !

Mais Renart galope plus vite qu'eux. Et ils regagnent leur charrette, tout confus, pour regarder leurs paniers percés.

Raiponce
ou Herbe d'amour

Il était une fois un homme et une femme qui désiraient un enfant depuis longtemps ; enfin, la femme eut l'espoir de voir son souhait exaucé.

Ces gens avaient, sur le derrière de leur maison, une petite fenêtre d'où l'on pouvait apercevoir un jardin magnifique rempli des plus belles fleurs et de toute espèce d'herbes ; il était entouré d'un haut mur et personne n'osait y entrer, parce qu'il appartenait à une sorcière qui avait beaucoup de pouvoir et que tout le monde craignait.

Un jour, la femme était à sa fenêtre et regardait le jardin ; elle remarqua un parterre planté de superbes raiponces, et celles-ci avaient l'air si bonnes et si fraîches qu'elle se sentit une envie folle d'en manger. Cette envie de raiponces augmentait chaque jour ; et comme la brave femme savait qu'elle ne pouvait en avoir, elle maigrissait et devenait toute pâle et toute faible.

Le mari en fut effrayé et lui demanda :

– Qu'as-tu donc, ma chère femme ?

– Hélas ! dit-elle, si je ne puis manger des raiponces du jardin qui est derrière notre maison, je vais mourir !

Son mari, qui l'aimait beaucoup, se dit :

« Plutôt que de laisser mourir ma femme, il faut que je lui cherche des raiponces, coûte que coûte ! »

Vers le soir, il escalada le mur et pénétra dans le jardin de la sorcière, coupa à la hâte une poignée de raiponces et les apporta à sa femme. Elle s'en accommoda tout de suite une salade, qu'elle mangea avec avidité. Elles avaient si bon goût que, le lendemain, son envie ne fit que redoubler. Pour qu'elle restât en repos, son mari fut forcé d'aller encore une fois dans le jardin. Le soir, il y descendit de nouveau : mais lorsqu'il eut sauté par-dessus le mur, la

frayeur le prit, car il se trouva en face de la sorcière.

– Comment, dit-elle en furie, oses-tu venir dans mon jardin, comme un voleur, pour me voler mes raiponces ?

– Hélas ! répondit-il, je m'y suis décidé malgré moi, et seulement forcé par le danger qui menaçait ma femme : elle a vu vos raiponces par la fenêtre et en a conçu une telle envie qu'elle mourrait si elle n'en mangeait pas.

Alors la colère de la sorcière s'adoucit un peu, et elle dit au mari :

– Si tout s'est passé comme tu le racontes, je te permettrai de prendre autant de raiponces que tu voudras, mais à la condition que tu me donneras l'enfant que ta femme va mettre au monde. Il ne s'en trouvera pas mal, et je lui servirai de mère.

Le mari promit tout dans sa terreur ; et lorsque sa femme eut donné le jour à une petite fille, la sorcière arriva, appela l'enfant du nom de *Raiponce* et l'emmena avec elle.

Raiponce devint la plus belle enfant qui fût sous le soleil. Lorsqu'elle eut douze ans, la sorcière l'enferma au milieu de la forêt, dans une tour qui n'avait ni escalier ni portes, mais seulement une petite fenêtre tout en haut. Quand la sorcière voulait monter, elle se mettait juste au-dessous, et disait :

Raiponce, Raiponce,
Laisse tomber tes cheveux !

Raiponce avait de longs et magnifiques cheveux, fins comme de l'or filé. Dès qu'elle entendait la voix de la sorcière, elle dénouait ses cheveux, les tournait autour d'un des crochets de la fenêtre, et ils tombaient alors jusqu'au bas de la tour. La sorcière montait ainsi.

Quelques années après, il advint que le fils du roi passa par la forêt, juste devant cette tour. Il entendit un chant si mélodieux qu'il arrêta son cheval pour écouter. C'était Raiponce qui essayait de passer le temps dans sa solitude en chantant de sa voix douce.

Le prince chercha en vain la porte de la tour ; mais ce chant lui avait tellement touché le cœur, qu'il revint chaque jour dans la forêt, pour l'écouter. Une fois qu'il était caché derrière un arbre, il vit arriver la sorcière et il l'entendit qui disait :

Raiponce, Raiponce,
Laisse tomber tes cheveux !

Raiponce alors fit tomber ses longues nattes, et la sorcière put monter.

« Est-ce là l'échelle par laquelle on monte ? se dit le prince ; alors, je tenterai une fois la chance. »

Et le lendemain, lorsque le soir fut venu, il alla à la tour et dit :

Raiponce, Raiponce,
Laisse tomber tes cheveux !

Les cheveux tombèrent tout de suite, et le fils du roi monta.

D'abord, Raiponce fut effrayée de voir entrer un homme qu'elle n'avait jamais vu ; mais le prince lui raconta, d'une voix amie, qu'il avait entendu son chant, et qu'il s'était senti le cœur si ému qu'il n'avait plus eu de repos jusqu'à ce qu'il l'eût contemplée. Alors Raiponce perdit toute frayeur ; et quand il lui demanda si elle voulait bien l'agréer pour mari, le voyant si beau et si jeune, elle pensa :

« Il m'aimera plus que la vieille mère Gothel », dit *oui,* et lui donna sa main.

Il fut convenu que le prince viendrait la voir tous les soirs ; et la sorcière, qui ne venait que dans la journée, ne remarqua rien jusqu'à ce qu'une fois Raiponce lui dit sans y songer :

– Dites-moi donc, mère Gothel, comment se fait-il que vous deveniez de plus en plus lourde, tandis que le jeune prince arrive si vite chez moi ?

– Ah ! enfant perverse, s'écria la sorcière, qu'ai-je entendu ? Tu m'as donc trompée !

Et, dans sa colère, elle prit les beaux cheveux de

Raiponce, les tourna plusieurs fois autour de sa main gauche, saisit une paire de ciseaux de la main droite, et vite, vite, voilà ces beaux cheveux coupés et les nattes merveilleuses par terre. La sorcière fut sans pitié, car elle transporta Raiponce dans un désert où celle-ci mena une vie de misère et de chagrin.

Le même jour où elle avait chassé Raiponce de la tour, la sorcière attacha vers le soir les cheveux coupés au crochet de la fenêtre, et lorsque le fils du roi vint et dit :

Raiponce, Raiponce,
Laisse tomber tes cheveux !

elle fit tomber les cheveux ; mais le pauvre prince, au lieu de trouver en haut sa chère Raiponce, rencontra la méchante sorcière qui le regardait avec des yeux mauvais et terribles, et qui lui dit :

– Pour toi, Raiponce est perdue à jamais, tu ne la reverras plus !

Le prince était hors de lui, de douleur et de désespoir, et, dans son délire, il se jeta du haut de la tour ; il ne se tua pas, mais ses deux yeux furent blessés. Triste et aveugle, il errait par la forêt, ne mangeant que des fruits sauvages et des racines, et ne faisant que pleurer et se désoler de la perte de sa chère femme.

Il erra ainsi plusieurs années et arriva dans le désert où Raiponce vivait misérablement avec ses deux jumeaux, un fils et une fille. Il y entendit une voix qui lui semblait familière, il en suivit le son, et lorsqu'il approcha d'elle, Raiponce le reconnut et se jeta à son cou en pleurant. Deux larmes tombées de ses yeux mouillèrent ceux du prince aveugle, qui redevinrent clairs et purent voir comme auparavant. Et il conduisit alors sa femme et ses enfants dans son royaume, où ils vécurent tous longtemps dans la paix et le bonheur.

Ali Baba
et les quarante voleurs

Dans une ville de Perse vivaient deux frères qui s'aimaient bien et se rendaient souvent visite. L'un s'appelait Cassim, l'autre Ali Baba.

Cassim était marchand et Ali Baba était bûcheron.

Un jour, Ali Baba se rendait à la forêt avec ses trois ânes lorsqu'il aperçut de loin, sur la route, un nuage de poussière. C'était sans aucun doute une importante troupe de cavaliers. Comme il ne passait pas grand monde habituellement sur cette route, il eut peur d'une attaque de brigands et chercha une cachette.

Il y avait non loin de là un très haut rocher isolé près duquel poussait un grand arbre. Ali Baba abandonna ses ânes, grimpa dans l'arbre et attendit.

Le nuage de poussière grandissait à vue d'œil et bientôt la troupe arriva. Les cavaliers mirent pied à terre près du rocher. Ils étaient quarante. Chacun portait un gros sac sur l'épaule. Leur chef s'approcha du rocher et s'écria :

– Sésame, ouvre-toi !

Au grand étonnement d'Ali Baba qui observait tout de sa cachette, une porte s'ouvrit dans la muraille de pierre. Les hommes s'y engouffrèrent et la porte se referma derrière eux. Resté seul, notre bûcheron n'osa pas descendre tout de suite. Comme il y pensait, la porte se rouvrit, les hommes sortirent et le chef commanda à la porte :

– Sésame, referme-toi !

Ce qu'elle fit. Puis ils remontèrent à cheval et disparurent. Quand ils furent loin, Ali Baba descendit de l'arbre, se présenta devant le rocher et, après avoir longtemps hésité, cria lui aussi :

– Sésame, ouvre-toi !

De nouveau la magie se mit en œuvre et Ali Baba entra dans une caverne extraordinaire, convenablement éclairée, qui recélait les richesses les plus

fabuleuses, des étoffes de soie, des brocarts, des tapis, et, surtout, des sacs débordant d'or et d'argent. Aucun doute, c'était depuis longtemps la retraite d'une bande de voleurs.

La porte se referma dans son dos, ce qui ne le dérangea pas puisqu'il connaissait le moyen de la faire obéir. Revenu de sa stupeur, il amassa autant d'or que ses trois ânes pouvaient en porter, les chargea et referma définitivement la caverne grâce à la formule magique.

Enfin rentré chez lui, Ali Baba vida les sacs devant sa femme qui fut éblouie par une telle quantité d'or. Il lui raconta toute l'aventure.

– Nous voilà riches ! s'écria-t-elle en dansant et en tapant dans ses mains. Mais combien avons-nous exactement ?

– Assez pour attendre en paix la fin de nos jours, répondit Ali Baba.

– Je veux en être sûre. Il faudrait mesurer !

Ali Baba n'en voyait pas la nécessité, mais ne voulant pas attrister sa femme, il la laissa agir à sa guise. Elle partit aussitôt chez Cassim, son beau-frère, pour lui demander une mesure à grain.

Cassim étant absent, ce fut son épouse qui la reçut.

– Une mesure ? s'étonna-t-elle.

– Oui, et la plus grande possible !

La femme de Cassim lui prêta une mesure au-dessous de laquelle elle colla discrètement un peu de suif, car elle voulait bien savoir ce qu'il y avait à mesurer chez un pauvre bûcheron comme Ali Baba. De retour à la maison, la femme d'Ali Baba posa la mesure sur le tas d'or et l'emplit une fois, deux fois,

de nombreuses fois, sans faire attention. Un peu plus tard, elle retourna chez sa belle-sœur, lui rendit la mesure, et voilà qu'une pièce d'or était restée collée en dessous. Dans sa hâte, elle ne s'en était pas aperçue.

Cassim rentra chez lui. Sa femme lui dit :

– Cassim, assieds-toi ici ! Je vais t'apprendre une nouvelle.

– Que se passe-t-il ?

– Cassim ! Est-ce que tu te crois riche ?

– Assez pour être heureux.

– Eh bien, Ali Baba l'est mille fois plus que toi. Il a tant d'or chez lui qu'il lui faut une mesure à grain pour le compter !

Et elle lui montra la pièce qui était restée attachée.

Cassim, un peu jaloux, se rendit chez son frère :

– Explique-moi, je te prie, comment on trouve tant d'or chez toi !

Voyant le secret découvert, et comme il aimait Cassim, Ali Baba raconta tout, y compris la formule qui servait à ouvrir la caverne des voleurs.

Cassim le remercia. Il partit le lendemain au petit jour avec dix mulets chargés de grands coffres vides et se présenta à son tour devant le rocher.

– Sésame, ouvre-toi ! cria-t-il.

La porte s'ouvrit. Il entra, et la porte se referma derrière lui. Étonné un moment par tous ces trésors, il se ressaisit et se chargea d'un premier sac. Au moment de sortir, il voulut prononcer la formule magique, mais se trompa.

– Orge, ouvre-toi !

La porte resta close. Il passa en revue tous les noms de graines qu'il connaissait et ne trouva pas la bonne, si bien que des heures après, il était encore enfermé.

Par malchance, les voleurs vinrent à la grotte. Quand ils ouvrirent, Cassim en profita pour s'échapper, mais il fut repris par les voleurs qui le tuèrent sur-le-champ et le découpèrent en quatre morceaux.

Le lendemain, en arrivant, Ali Baba découvrit avec horreur les restes de son frère. Il domina son chagrin et enfin, il chargea sur ses ânes les quartiers de la misérable dépouille. Il n'osa rentrer qu'à la nuit et s'en fut directement chez la veuve de Cassim pour lui apprendre la pénible nouvelle.

Cassim avait une servante très rusée qui s'appelait Morgiane.

– Morgiane ! lui dit Ali Baba, il faut cacher à l'entourage la vraie raison de la mort de Cassim.

– Ne vous inquiétez pas, je sais comment faire !

Le lendemain, la servante se rendit plusieurs fois chez l'apothicaire, réclamant des remèdes toujours plus puissants, faisant croire que son maître était tombé malade et qu'il allait de mal en pis. Le jour suivant, personne ne fut donc étonné d'apprendre que Cassim était mort.

Il y avait dans la ville un savetier très âgé nommé Baba Moustafa, qui ouvrait sa boutique le matin bien avant les autres. Morgiane lui demanda de venir secrètement chez elle avec son nécessaire de cou-

ture. Baba Moustafa, qui trouvait l'affaire louche, n'accepta que contre une forte somme d'argent. Ainsi fut-il conduit les yeux bandés dans la chambre de Cassim. Là, Morgiane lui rendit la vue et lui demanda de recoudre le corps de son malheureux maître en échange de beaucoup d'or. Puis, à nouveau les yeux bandés, Baba Moustafa fut reconduit chez lui. Ainsi Cassim fut enterré dignement et personne n'eut le moindre soupçon.

Ali Baba hérita de la maison de son frère. La trouvant plus belle, il s'y installa avec sa femme, et ils vécurent en compagnie de la veuve de Cassim et de l'esclave Morgiane.

Mais les voleurs se demandaient comment leur victime avait bien pu entrer dans la caverne.

– Quelqu'un d'autre que le mort connaît notre secret ! dit le chef. Le tas d'or a diminué. Qui veut aller en ville, prendre quelques renseignements ?

L'un des voleurs se proposa et partit tôt le matin, bien déguisé. Il trouva ouverte la boutique de Baba Moustafa. Le vieux savetier était déjà penché sur son ouvrage.

– Brave homme ! dit-il au vieillard. Comment faites-vous pour y voir si bien, à votre âge ?

– Hein ? On voit que vous n'êtes pas du coin ! dit Baba Moustafa. Mes yeux sont les meilleurs du lieu. Il n'y a pas longtemps, j'ai recousu un mort dans un endroit plus sombre qu'ici !

– Tiens tiens... Où cela ?

– Je n'en sais rien. J'y ai été conduit les yeux bandés.

Le voleur lui tendit quelques pièces d'or.

– Accompagne-moi !

– Puisque je vous dis que j'avais les yeux bandés !

– Tâche de te souvenir à quels moments et en quelles directions tu as tourné !

221

Baba Moustafa accepta et, comme il avait bonne mémoire, il finit par s'arrêter devant la maison de Cassim, devenue celle d'Ali Baba, disant :

– Ça doit être ici.

Le voleur le remercia. Discrètement, il fit à la craie une croix sur la porte de la maison et repartit dans la forêt.

Peu après, Morgiane découvrit cette marque. Devinant que ce signe n'était pas favorable, elle prit une craie de la même couleur et traça des croix sur toutes les portes du quartier.

Les voleurs s'armèrent et entrèrent en ville le soir même sans attirer l'attention. Cherchant la porte marquée d'une croix pour assassiner celui qui y demeurait, ils en trouvèrent beaucoup trop et repartirent, furieux. Ils en profitèrent pour couper la tête à celui d'entre eux qui les avait menés dans cette piètre aventure.

Le lendemain, le capitaine des voleurs décida d'agir lui-même. Il trouva lui aussi Baba Moustafa tôt levé et fut conduit devant la maison d'Ali Baba. Il n'y fit aucune marque, mais observa la maison. Une idée lui vint. De retour à la forêt, il envoya ses compagnons acheter dans les environs des mulets, et autant de vases de cuir qu'ils étaient de voleurs.

En trois jours, tout fut rassemblé. Dans l'un de ces vases, le chef fit verser de l'huile. Les autres restèrent vides. Au moment du départ, il fit entrer chacun de ses hommes dans les vases vides qu'il reboucha comme s'ils étaient pleins d'huile, avec juste un petit passage pour l'air, afin que les hommes puissent respirer dans leur cachette.

Il conduisit cette étrange caravane jusqu'à la ville. C'était le soir. Ali Baba était en train de prendre le

frais sur le pas de sa porte. Le chef des voleurs lui fit croire qu'il était marchand d'huile, qu'il comptait vendre le contenu de ces vases, le lendemain sur le marché, qu'il venait de loin et qu'il était très fatigué.

Il était si bien déguisé qu'Ali Baba ne le reconnut pas.

– Vous êtes le bienvenu, lui dit-il. Entrez chez moi et passez une bonne nuit !

Le faux marchand déchargea ses vases dans une cour, sous la fenêtre de la chambre où il devait passer la nuit. Profitant de ce qu'Ali Baba avait dû s'absenter un instant, il s'approcha de chaque vase et donna ses ordres aux voleurs cachés à l'intérieur.

– Vous m'entendez ? Quand je jetterai de petites pierres de ma chambre, fendez le vase depuis le haut jusqu'en bas avec votre couteau et sortez ! Je vous dirai à ce moment-là ce qu'il faudra faire.

Il se coucha tôt, tout habillé, prêt à l'action.

Morgiane travaillait aux cuisines quand sa lampe à huile s'éteignit soudain.

– Oh ! Plus d'huile !

– Va donc dans la cour, dit Abdalla, un serviteur qui travaillait avec elle. Ce n'est pas l'huile qui manque, avec ce marchand !

– Tu as raison !

Elle prit une cruche et y alla. Comme elle s'approchait du premier vase, elle entendit :

– Hé ! C'est l'heure ?

Cette voix venait bel et bien du vase ! En un éclair, elle comprit le danger et répondit en chuchotant :

– Pas encore, mais bientôt !

Elle alla vers les autres vases, entendit la même question, donna la même réponse, jusqu'à ce qu'elle eût trouvé l'huile.

Elle ralluma sa lampe, versa l'huile du dernier vase dans un grand chaudron, la fit bouillir et en fit couler un peu dans chaque vase, tuant ainsi tous les voleurs qui ne poussèrent même pas un cri.

Un quart d'heure plus tard, le chef des voleurs s'éveilla et jeta comme convenu des cailloux par la fenêtre. Comme il n'y eut aucune réponse, il descendit pour réveiller ses voleurs. Mais il sentit bientôt l'huile chaude et la chair brûlée. Il trouva prudent de prendre la fuite.

Au milieu de la matinée, comme il revenait du bain, Ali Baba fut étonné de voir que les vases étaient encore là. Morgiane lui conseilla d'en ouvrir un et Ali Baba recula d'épouvante. Alors la servante lui raconta comment elle l'avait délivré, lui et sa maisonnée, des voleurs et de leur chef. Ali Baba comprit que c'étaient les voleurs de la forêt, de la caverne à la porte magique.

En récompense, il affranchit aussitôt Morgiane.

Il fit enterrer les corps, vendit les mulets dans différents marchés et fit cacher soigneusement les armes et les vases de cuir.

Mais le chef des voleurs n'avait pas pour autant abandonné la partie. Il lui fallait une vengeance éclatante. Peu de temps après, il revint en ville, loua une pièce, et se fit marchand d'étoffes. On l'appelait Cogia Houssain. Il se lia d'amitié avec le fils d'Ali Baba. À force de civilités, il réussit à se faire inviter chez le père du jeune homme. Le chef des voleurs savait si bien changer de visage et de voix qu'Ali Baba, encore une fois, ne le reconnut pas.

Il voulut le garder à dîner, mais l'autre refusa.

– Pourquoi ce refus ? s'inquiéta Ali Baba.

– C'est que, répondit le faux marchand, je suis au régime sans sel, et cela crée trop de complications pour ceux qui m'invitent.

– Qu'importe ! s'écria Ali Baba. Je peux vous proposer de la cuisine sans sel. Allons ! Je vous en prie ! Faites-moi le plaisir de rester.

L'autre finit par accepter. Morgiane, qui était prête à servir, dit son mécontentement d'avoir tout à recommencer à cause du sel, mais obéit. Elle pensait que c'était un homme bizarre, pour avoir de telles exigences. Sous le prétexte d'aider Abdalla, elle fit le service à table.

Morgiane était plus rusée qu'Ali Baba. Elle n'eut aucune peine à reconnaître sous le déguisement du marchand d'étoffes le redoutable chef des voleurs. Elle aperçut même le couteau qu'il cachait sous son habit. Elle conçut un plan des plus hardis.

Au dessert, elle se présenta vêtue en danseuse, avec un poignard fixé à la ceinture comme s'il faisait partie du costume. Abdalla l'accompagnait en jouant du tambourin. Ali Baba était ravi. Il la fit danser très longtemps, croyant faire plaisir à son hôte qui attendait toujours le moment favorable pour l'assassiner.

Au cours de la danse, Morgiane sortit son poignard dont elle se servit comme accessoire puis, quand la danse fut finie, Abdalla tendit le tambourin par le creux pour recevoir quelque monnaie, selon la coutume. Ali Baba y jeta une pièce d'or. Le chef des voleurs prit sa bourse et y puisa une pièce également.

Comme il avait les mains occupées, c'est le moment que choisit Morgiane pour lui planter son poignard en plein cœur.

Il mourut sur le coup.

Devant la surprise d'Ali Baba, Morgiane dévoila une fois de plus le plan du chef des voleurs, et Ali Baba reconnut l'intelligence de sa servante.

Peu après, Ali Baba célébra les noces de son fils et de Morgiane par un festin somptueux. Puis il laissa passer une année complète.

Comme il n'y avait plus de sujet d'inquiétude, un jour il monta à cheval et se rendit à la caverne des voleurs. Il prononça les paroles :

– Sésame, ouvre-toi !

La porte s'ouvrit et Ali Baba retrouva toutes les choses dans l'état où il les avait laissées. Personne n'était rentré là. Il était désormais le seul à connaître le secret. Il chargea d'or son cheval puis, ayant appelé son fils, lui raconta son aventure depuis le début en lui enseignant la formule magique.

Ainsi Ali Baba et ses descendants se transmirent le secret de père en fils et vécurent dans une grande splendeur, aimés et honorés de toute la ville.

Sept d'un coup

Une matinée d'été, un petit tailleur, assis sur sa table près de la fenêtre, cousait joyeusement et de toutes ses forces. Il vint à passer dans la rue une paysanne qui criait : « Bonne confiture à vendre ! bonne confiture à vendre ! »

Ce mot de confiture résonna agréablement aux oreilles du petit homme, et passant sa gentille tête par la fenêtre :

– Ici, bonne femme, entrez ici, lui dit-il, vous trouverez acheteur.

Elle monta, chargée de son lourd panier, les trois marches de la boutique du tailleur, et il fallut qu'elle étalât tous ses pots devant lui.

Après les avoir tous considérés, maniés, flairés l'un après l'autre, il finit par dire :

– Il me semble que cette confiture est bonne ; pesez m'en deux onces, bonne femme, allez même jusqu'au quarteron.

La paysanne, qui avait espéré faire un marché plus considérable, lui donna ce qu'il désirait ; mais elle s'en alla en grondant et en murmurant.

– Maintenant, s'écria le petit tailleur, je prie Dieu qu'il me fasse la grâce de bénir cette bonne confiture, pour qu'elle me rende force et vigueur.

Et prenant le pain dans l'armoire, il coupa une longue tartine pour étendre sa confiture dessus.

« Voilà qui n'aura pas mauvais goût, pensa-t-il, mais, avant de l'entamer, il faut que j'achève cette veste. »

Il posa sa tartine à côté de lui et se remit à coudre, et dans sa joie il faisait des points de plus en plus grands. Cependant, l'odeur de la confiture attirait les mouches qui couvraient le mur, et elles vinrent en foule se poser dessus.

– Qui vous a invitées ici ? dit le tailleur en les chassant.

Mais les mouches, qui n'entendaient pas le français, revinrent en plus grand nombre qu'auparavant.

Cette fois, la moutarde lui monta au nez, et saisissant un lambeau de drap dans son tiroir :

– Attendez, s'écria-t-il, je vais vous en donner !

Et il frappa dessus sans pitié. Ce grand coup porté, il compta les morts ; il n'y en avait pas moins de sept, qui gisaient les pattes étendues.

« Peste ! se dit-il, étonné lui-même de sa valeur, il paraît que je suis un gaillard ; il faut que toute la ville le sache. »

Et, dans son enthousiasme, il se fit une ceinture et broda dessus en grosses lettres : Sept d'un coup !

– Mais la ville ne suffit pas, ajouta-t-il encore, il faut que le monde tout entier l'apprenne.

Le cœur lui frétillait de joie dans la poitrine comme la queue d'un petit agneau.

Il mit donc sa ceinture et résolut de courir le monde, car sa boutique lui semblait désormais un trop petit théâtre pour sa valeur. Avant de sortir de chez lui, il chercha dans toute la maison s'il n'avait rien à emporter, mais il ne trouva qu'un vieux fromage qu'il mit dans sa poche. Devant la porte, il remarqua un oiseau qui s'était pris dans les buissons ; il le mit dans sa poche avec le fromage. Puis il se mit bravement en chemin, et, comme il était leste et actif, il marcha sans se fatiguer.

Il passa par une montagne au sommet de laquelle était assis un énorme géant qui regardait tranquillement les passants. Le petit tailleur alla droit à lui et lui dit :

– Bonjour, camarade ; te voilà assis, tu regardes le monde à tes pieds ? Moi, je me suis mis en route et je cherche les aventures. Veux-tu venir avec moi ?

Le géant lui répondit d'un air de mépris :

– Petit drôle, petit avorton !

– Est-il possible ? s'écria le petit tailleur ; et, déboutonnant son habit, il montra sa ceinture au géant en lui disant : Lis ceci, tu verras à qui tu as affaire.

Le géant, qui lut : Sept d'un coup !, s'imagina que c'étaient des hommes que le tailleur avait tués, et conçut un peu plus de respect pour le petit personnage. Cependant, pour l'éprouver, il prit un caillou dans sa main et le pressa si fort que l'eau en suintait.

– Maintenant, dit-il, fais comme moi, si tu as de la vigueur.

– N'est-ce que cela ? répondit le tailleur, c'est un jeu d'enfant dans mon pays.

Et fouillant dans sa poche il prit son fromage mou et le serra dans sa main de façon à en faire sortir tout le jus.

– Eh bien ! ajouta-t-il, voilà qui te vaut bien, ce me semble.

Le géant ne savait que dire et ne comprenait pas qu'un nain pût être si fort. Il prit un autre caillou et le lança si haut que l'œil le voyait à peine, en disant :

– Allons, petit homme, fais comme moi.

– Bien lancé ! dit le tailleur, mais le caillou est retombé. Moi j'en vais lancer un autre qui ne retombera pas.

Et, prenant l'oiseau qui était dans sa poche, il le jeta en l'air.

L'oiseau, joyeux de se sentir libre, s'envola à tire-d'aile, et ne revint pas.

– Qu'en dis-tu, cette fois, camarade ? demanda le tailleur.

– C'est bien fait, répondit le géant, mais je veux voir si tu portes aussi lourd que tu lances loin.

Et il conduisit le petit tailleur devant un chêne énorme qui était abattu sur le sol.

– Si tu es vraiment fort, dit-il, il faut que tu m'aides à enlever cet arbre.

– Volontiers, répondit le petit homme, prends le tronc sur ton épaule ; je me chargerai des branches et de la tête, c'est plus lourd.

Le géant prit le tronc sur son épaule, mais le petit tailleur s'assit sur une branche de sorte que le géant, qui ne pouvait pas regarder derrière lui, portait l'arbre tout entier et le tailleur par-dessus le marché. Il s'était installé paisiblement, et sifflait gaiement le petit air : « Il était trois tailleurs qui chevauchaient ensemble », comme si c'eût été pour lui un jeu d'enfant que de porter un arbre. Le géant, écrasé sous le fardeau et n'en pouvant plus au bout de quelques pas, lui cria :

– Attention, je laisse tout tomber.

Le petit homme sauta lestement en bas, et, saisissant l'arbre dans ses deux bras, comme s'il en avait porté sa part, il dit au géant :

– Tu n'es guère vigoureux, pour un gaillard de ta taille !

Ils continuèrent leur chemin, et, comme ils passaient devant un cerisier, le géant saisit la tête de l'arbre où étaient les fruits les plus mûrs, et, la courbant jusqu'en bas, la mit dans la main du tailleur pour lui faire manger les cerises. Mais celui-ci était bien trop faible pour la maintenir, et, quand le géant l'eut lâchée, l'arbre en se redressant emporta le tailleur avec lui. Il retomba sans se blesser ; mais le géant lui dit :

– Qu'est-ce donc ? est-ce que tu n'aurais pas la force de courber une pareille baguette ?

– Il ne s'agit pas de force, répondit le petit tailleur ; qu'est-ce que cela pour un homme qui en a abattu sept d'un coup ? J'ai sauté par-dessus l'arbre pour me garantir du plomb, parce qu'il y avait en bas des chasseurs qui tiraient aux buissons ; fais-en autant, si tu peux.

Le géant essaya, mais il ne put sauter par-dessus l'arbre, et il resta embarrassé dans les branches. Ainsi le tailleur conserva l'avantage.

– Puisque tu es un si brave garçon, dit le géant, il faut que tu viennes dans notre caverne et que tu passes la nuit chez nous.

Le tailleur y consentit volontiers. Quand ils furent arrivés, ils trouvèrent d'autres géants assis près du feu, tenant à la main chacun un mouton rôti. Le tailleur jugea l'appartement plus grand que sa boutique. Le géant lui montra son lit et lui dit de se coucher. Mais, comme le lit était trop grand pour un si petit corps, il se blottit dans un coin. À minuit, le géant, croyant qu'il dormait d'un profond sommeil, saisit une grosse barre de fer et en donna un grand coup au beau milieu du lit ; il pensait bien avoir tué l'avorton. Au petit jour, les géants se levèrent et allèrent dans le bois ; ils avaient oublié le tailleur ; quand ils le virent sortir de la caverne d'un air joyeux et passablement effronté, ils furent pris de peur, et, craignant qu'il ne les tuât tous, ils s'enfuirent au plus vite.

Le petit tailleur continua son voyage, toujours le nez au vent. Après avoir longtemps erré, il arriva dans le jardin d'un palais, et, comme il se sentait un peu fatigué, il se coucha sur le gazon et s'endormit. Les gens qui passaient par là se mirent à le considérer de tous côtés et lurent sur sa ceinture : Sept d'un coup !

– Ah ! se dirent-ils, qu'est-ce que ce foudre de guerre vient faire ici au milieu de la paix ? Il faut que ce soit quelque puissant seigneur.

Ils allèrent en faire part au roi, en ajoutant que, si la guerre venait à éclater, il serait utile de se l'attacher à tout prix. Le roi suivit ce conseil et envoya un de ses courtisans au petit homme pour lui offrir du service aussitôt qu'il serait éveillé. L'envoyé resta en sentinelle près du dormeur, et, quand celui-ci eut commencé à ouvrir les yeux et à s'étirer, il lui fit ses propositions.

– J'étais venu pour cela, répondit l'autre, et je suis prêt à entrer au service du roi.

On le reçut avec toutes sortes d'honneurs, et on lui assigna un logement à la cour.

Mais les militaires étaient jaloux de lui et auraient voulu le voir mille lieues plus loin.

– Qu'est-ce que tout cela deviendra ? se disaient-ils entre eux, si nous avons quelque querelle avec lui, il se jettera sur nous et en abattra sept à chaque coup. Pas un de nous ne survivra.

Ils résolurent d'aller trouver le roi pour lui demander congé.

– Nous ne pouvons pas, lui dirent-ils, rester auprès d'un homme qui en abat sept d'un coup.

Le roi était bien désolé de voir ainsi tous ses loyaux serviteurs l'abandonner ; il aurait souhaité n'avoir jamais vu celui qui en était la cause et s'en serait débarrassé volontiers. Mais il n'osait pas le congédier, de peur que cet homme terrible ne le tuât ainsi que son peuple pour s'emparer du trône.

Le roi, après y avoir beaucoup songé, trouva un expédient. Il fit au petit tailleur une offre que celui-ci ne pouvait manquer d'accepter en sa qualité de héros. Il y avait dans une forêt du pays deux géants qui commettaient toutes sortes de brigandages, de meurtres et d'incendies. Personne n'approchait d'eux sans craindre pour ses jours. S'il parvenait à les vaincre et à les mettre à mort, le roi lui donnerait sa fille unique en mariage, avec la moitié du royaume pour dot. On mettait à sa disposition cent cavaliers pour l'aider au besoin. Le petit tailleur pensa que l'occasion d'épouser une jolie princesse était belle et ne se retrouverait pas tous les jours. Il déclara qu'il consentait à marcher contre les géants, mais qu'il n'avait que faire de l'escorte des cent cavaliers, celui qui en avait abattu sept d'un coup ne craignait pas deux adversaires à la fois.

Il se mit donc en marche, suivi des cent cavaliers. Quand on fut arrivé à la lisière de la forêt, il leur dit de l'attendre, et qu'il viendrait à bout des géants à lui tout seul. Puis il entra dans le bois en regardant avec précaution autour de lui. Au bout d'un moment, il aperçut les deux géants ; ils étaient endormis sous un arbre et ronflaient si fort que les branches en tremblaient. Le petit tailleur remplit ses deux poches de cailloux, et, montant dans l'arbre sans perdre de temps, il se glissa sur une branche qui s'avançait juste au-dessus des deux dormeurs. Il laissa tomber quelques cailloux, l'un après l'autre sur la poitrine de l'un d'eux. Le géant fut longtemps sans rien sentir, mais à la fin il s'éveilla, et, poussant son camarade, il lui dit :

– Pourquoi me frappes-tu ?

– Tu rêves, dit l'autre, je ne t'ai pas touché.

Ils se rendormirent. Le tailleur se mit alors à jeter une pierre au second.

– Qu'est-ce qu'il y a ? s'écria celui-ci, qu'est-ce que tu me jettes ?

– Je ne t'ai rien jeté ; tu rêves, répondit le premier.

Ils se disputèrent quelque temps ; mais, comme ils étaient fatigués, ils finirent par s'apaiser et se rendormir encore.

Cependant, le tailleur recommença son jeu, et, choisissant le plus gros de ses cailloux, il le jeta de toutes ses forces sur la poitrine du premier géant.

– C'est trop fort ! s'écria celui-ci.

Et se levant comme un forcené, il sauta sur son compagnon, qui lui rendit la monnaie de sa pièce. Le combat devint si furieux qu'ils arrachaient des arbres pour s'en faire des armes, et il ne cessa que lorsque tous les deux furent étendus morts sur le sol.

Alors le petit tailleur descendit de son poste.

« Il est bien heureux, pensait-il, qu'ils n'aient pas aussi arraché l'arbre sur lequel j'étais perché ; j'aurais été obligé de sauter sur quelque autre, comme un écureuil ; mais on est leste dans notre métier. »

Il tira son épée, et après en avoir donné à chacun d'eux deux bons coups dans la poitrine, il revint trouver les cavaliers et leur dit :

– C'est fini, je leur ai donné le coup de grâce ; l'affaire a été chaude ; ils voulaient résister, ils ont arraché des arbres pour me les lancer ; mais à quoi servait tout cela contre un homme, comme moi, qui en abat sept d'un coup ?

– N'êtes-vous pas blessé ? demandèrent les cavaliers.

– Non, dit-il, je n'ai pas un cheveu de dérangé.

Les cavaliers ne voulaient pas le croire ; ils entrèrent dans le bois et trouvèrent en effet les géants nageant dans leur sang, et les arbres abattus de tous côtés autour d'eux.

Le petit tailleur réclama la récompense promise par le roi ; mais celui-ci, qui se repentait d'avoir engagé sa parole, chercha encore à se débarrasser du héros.

– Il y a, lui dit-il, une autre aventure dont tu dois venir à bout avant d'obtenir ma fille et la moitié de mon royaume. Mes forêts sont fréquentées par une licorne qui y fait beaucoup de dégâts, il faut t'en emparer.

– Une licorne me fait encore moins peur que deux géants ; Sept d'un coup, c'est ma devise.

Il prit une corde et une hache et entra dans le bois, en ordonnant à ceux qui l'accompagnaient de l'attendre au-dehors. Il n'eut pas à chercher longtemps : la licorne apparut bientôt, et elle s'élança sur lui pour le percer.

– Doucement, doucement, dit-il ; trop vite ne vaut rien.

Il resta immobile jusqu'à ce que l'animal fût tout près de lui, et alors il se glissa lestement derrière le tronc d'un arbre. La licorne, qui était lancée de toutes ses forces contre l'arbre, y enfonça sa corne si profondément qu'il lui fut impossible de la retirer, et qu'elle fut prise ainsi.

« L'oiseau est en cage », se dit le tailleur, et, sortant de sa cachette, il s'approcha de la licorne, lui passa la corde autour du cou ; à coups de hache il dégagea sa corne enfoncée dans le tronc, et, quand tout fut fini, il amena l'animal devant le roi.

Mais le roi ne pouvait se résoudre à tenir sa parole ; il lui posa encore une troisième condition. Il
s'agissait de s'emparer d'un sanglier qui faisait de
grands ravages dans les bois. Les chasseurs du roi
avaient ordre de lui prêter main-forte. Le tailleur
accepta en disant que ce n'était qu'un jeu d'enfant.
Il entra dans le bois sans les chasseurs, et ils n'en
furent pas fâchés, car le sanglier les avait déjà reçus
maintes fois de telle façon qu'ils n'étaient nullement
tentés d'y retourner.

Dès que le sanglier eut aperçu le tailleur, il se précipita sur lui, en écumant et en montrant ses défenses aiguës pour le transpercer ; mais le léger petit homme se réfugia dans une chapelle qui était là, tout près, et en ressortit aussitôt en sautant par la fenêtre. Le sanglier y avait pénétré derrière lui ; mais en deux bonds le tailleur revint à la porte et la ferma, de sorte que la bête furieuse se trouva prise, car elle était trop lourde et trop massive pour se sauver par la fenêtre. Après cet exploit, il appela les chasseurs pour qu'ils voient le prisonnier de leurs propres yeux. Il se présenta au roi, qui fut cette fois forcé de s'exécuter et de lui donner sa fille et la moitié de son royaume. Il aurait eu encore bien plus de mal à se décider s'il avait su que son gendre n'était pas un grand guerrier, mais un petit manieur d'aiguille. Les noces furent célébrées avec beaucoup de magnificence et peu de joie, et d'un tailleur on fit un roi.

Quelque temps après, la jeune reine entendit la nuit son mari qui disait en rêvant :

– Allons, garçon, termine cette veste et ravaude cette culotte, ou sinon je te donne de l'aune sur les oreilles.

Elle comprit ainsi dans quelle arrière-boutique le jeune homme avait été élevé, et le lendemain elle alla se plaindre à son père, le priant de la délivrer d'un mari qui n'était qu'un misérable tailleur.

Le roi lui dit pour la consoler :

– La nuit prochaine, laisse ta chambre ouverte ; mes serviteurs se tiendront à la porte, et, quand il sera endormi, ils entreront, et le porteront chargé de chaînes sur un navire qui l'emmènera bien loin.

La jeune femme était enchantée ; mais l'écuyer du roi, qui avait tout entendu et qui aimait le nouveau prince, alla lui découvrir le complot.

– J'y mettrai bon ordre, lui dit le tailleur.

Le soir il se coucha comme à l'ordinaire, et, quand sa femme le crut bien endormi, elle alla ouvrir la porte et se recoucha à ses côtés. Mais le petit homme, qui faisait semblant de dormir, se mit à crier à haute voix :

– Allons, garçon, termine cette veste et ravaude cette culotte, ou sinon je te donne de l'aune sur les oreilles. J'en ai abattu sept d'un coup, j'ai tué deux géants, chassé une licorne, pris un sanglier ; aurais-je donc peur des gens qui sont blottis à ma porte ?

En entendant ces derniers mots, ils furent tous pris d'une telle épouvante, qu'ils s'enfuirent comme s'ils avaient eu le diable à leurs trousses, et que jamais personne n'osa plus se risquer contre lui. Et, de cette manière, il conserva toute sa vie la couronne.

Tom Pouce

Un pauvre paysan était assis, le soir, à attiser son feu, et sa femme était assise à filer.

– Que c'est triste que nous n'ayons pas d'enfants ! dit-il. Chez nous tout est silence, tandis que, dans les autres maisons, tout n'est que joie et tapage.

– C'est vrai ! dit la femme en soupirant. Si nous en avions au moins un seul, lors même qu'il serait tout petit et pas plus grand que le pouce, nous serions contents et nous l'aimerions de tout notre cœur.

Or, il arriva que la femme fut malade et que, après sept mois, elle accoucha d'un enfant qui était très bien conformé de tous ses membres, mais pas plus grand que le pouce.

– C'est comme nous l'avons souhaité, disait-elle. Il va être notre cher enfant.

Et, à cause de sa taille, ils l'appelèrent Tom Pouce. Ils ne lui épargnaient pas la nourriture, mais l'enfant ne grandissait pas, et resta tel qu'il avait été à la première heure. Cependant il avait des yeux vifs, se montra bientôt très intelligent, et il réussissait tout ce qu'il entreprenait.

Un jour, le paysan s'apprêtait à aller dans la forêt couper du bois. « Je voudrais bien avoir quelqu'un pour m'amener la voiture », se disait-il à voix basse.

– Oh, père ! s'écria Tom Pouce, je m'en charge ! Comptez sur moi ! La voiture arrivera à temps dans la forêt.

L'homme se mit à rire et dit :

– Comment cela se pourrait-il ? Tu es trop petit pour conduire le cheval par les rênes.

– Cela ne fait rien, père ! Pourvu que la mère attelle, je me mettrai dans l'oreille du cheval, et je lui crierai comment il doit aller.

– Soit ! répondit le père, nous essayerons une fois.

Quand l'heure fut venue, la mère attela et mit Tom Pouce dans l'oreille du cheval, d'où le petit se mit à crier au cheval comment il devait aller, tantôt à « Hue ! » et tantôt à « Dia ! ». Cela se passa aussi bien qu'avec un maître, et la voiture alla tout droit jusqu'à la forêt. Il advint que, juste au moment où elle tournait une haie, et que le petit criait : « Dia ! dia ! », deux étrangers vinrent à passer.

– Eh ben ! dit l'un, qu'est-ce que c'est que cela ? La voiture marche, quelqu'un dirige le cheval, et on ne voit cependant personne.

– Tout cela n'est pas clair, reprit l'autre. Nous allons suivre la charrette et voir où elle s'arrête.

La voiture s'engagea en pleine forêt et arriva juste là où on avait abattu du bois. Quand Tom Pouce aperçut son père, il lui cria :

– Tu vois, père, me voici avec la voiture. Maintenant, mets-moi à terre.

Le père prit le cheval de la main gauche et, de la main droite, tira ensuite de l'oreille son fils, qui s'assit tout joyeux sur un brin d'herbe. Quand les deux étrangers aperçurent Tom Pouce, ils furent si surpris qu'ils ne savaient plus que dire. Ils se prirent l'un l'autre à part et se dirent :

– Écoute, ce petit gaillard-là pourrait faire notre

fortune, si nous le faisions voir dans une grande ville pour de l'argent. Il faut l'acheter.

Ils allèrent au paysan et lui dirent :

– Vendez-nous ce petit homme ; il sera bien avec nous.

– Non, répondit le père, c'est mon chéri, et je ne le vendrais pas pour tout l'or du monde.

Mais, en entendant cette proposition, Tom Pouce grimpa dans les plis de l'habit de son père, s'installa sur son épaule, et lui dit à l'oreille :

– Père, vends-moi toujours ; je saurai bien revenir chez nous.

Le père le céda donc alors aux deux hommes pour une bonne somme.

– Où veux-tu t'asseoir ? lui demandèrent-ils.

– Eh ! mettez-moi sur le bord de votre chapeau ; je pourrai m'y promener en long et en large, en regardant le pays, et je ne me laisserai pas tomber.

Ils firent selon son désir et, quand Tom Pouce eut pris congé de son père, ils se mirent en route avec lui. Ils voyagèrent jusqu'à ce qu'il fît sombre, et Tom Pouce dit alors :

– Mettez-moi à terre un moment, j'en ai besoin.

– Non, reste là-haut, répondit celui qui le portait sur sa tête. Cela m'est bien égal. Les oiseaux, eux aussi, me laissent souvent tomber quelque chose dessus.

– Non, répondit Tom Pouce, je connais les convenances. Mettez-moi vite à terre.

L'homme l'enleva de son chapeau et le posa dans un champ qui bordait la route. Il sautilla un moment parmi les mottes de terre, puis s'enfila tout à coup dans un trou de souris qu'il avait repéré.

– Bonsoir, messieurs, continuez sans moi ! leur cria-t-il en se moquant d'eux.

Ils accoururent et fouillèrent avec leurs bâtons dans le trou de souris, mais leur peine fut inutile.

Tom Pouce s'enfonçait toujours plus en avant, et comme l'obscurité n'avait pas tardé à devenir complète, ils furent obligés de s'en retourner avec dépit et la bourse vide. Quand Tom Pouce s'aperçut qu'ils étaient partis, ils ressortit de son trou.

« C'est dangereux de traverser ce champ dans les ténèbres, se dit-il, on peut facilement s'y casser bras et jambes. »

Heureusement, il rencontra une coquille d'escargot qui était vide.

– Dieu merci ! dit-il, je pourrai là-dedans passer la

nuit en sûreté. Et il s'y fourra. Bientôt après, comme il était sur le point de s'endormir, il entendit passer deux hommes dont l'un disait :

– Comment allons-nous nous y prendre pour enlever au riche curé son or et son argent ?

– Je pourrais bien te le dire, se mit à crier Tom Pouce.

– Qu'est-ce que cela ? dit l'un des voleurs effrayés, j'ai entendu parler quelqu'un.

Ils s'arrêtèrent pour écouter, et Tom Pouce reprit :

– Prenez-moi avec vous, je vous aiderai.

– Où es-tu donc ?

– Cherchez ici, à terre, et remarquez d'où vient la voix, répondit-il.

Les voleurs le trouvèrent enfin et le remontèrent.

– Voyons, petit gaillard, comment prétends-tu nous aider ?

– Eh ! je me glisserai à travers les barreaux de la fenêtre dans la chambre du curé, et je vous tendrai au-dehors ce que vous voulez avoir.

– Soit ! Nous verrons ce que tu sais faire.

Quand ils arrivèrent près de la cure, Tom Pouce se glissa dans la chambre et se mit à crier de toutes ses forces :

– Voulez-vous tout ce qui est ici ?

Les voleurs tressaillirent et lui dirent :

– Parle donc doucement pour ne réveiller personne.

Mais Tom Pouce fit semblant de ne pas comprendre et continua à crier :

– Que voulez-vous ? Vous faut-il tout ce qui est ici ?

La cuisinière, qui dormait dans la chambre à côté, entendit, se dressa sur son lit et écouta ; mais les voleurs effrayés s'étaient un peu éloignés. Enfin ils reprirent courage en se disant :

– Le petit gaillard veut se moquer de nous.

Ils revinrent et lui chuchotèrent :

– Allons, pas de plaisanterie, et tends-nous quelque chose.

Alors Tom Pouce se remit à crier de toutes ses forces :

– Oui, je veux tout vous donner ; avancez seulement vos mains à l'intérieur.

La cuisinière, qui avait parfaitement entendu, sauta du lit et vint bruyamment à la porte. Les voleurs effrayés s'enfuirent comme si le diable était à leurs trousses et la servante, ne pouvant rien distinguer, alla allumer une lumière. Quand elle arriva, Tom Pouce, sans être aperçu, alla se cacher dans la

grange. La servante, après avoir inspecté tous les coins et n'avoir rien trouvé, finit par retourner au lit et s'imagina qu'elle avait rêvé, les yeux et les oreilles ouverts. Tom Pouce avait grimpé dans le foin et y avait trouvé une belle petite place pour dormir. Il voulait se reposer là jusqu'au jour, puis retourner chez ses parents ; mais il devait en voir encore bien d'autres, tant il y a de tribulations et de guignon par le monde ! Comme d'habitude, la servante se leva à la pointe du jour pour donner à manger aux bêtes. Sa première visite fut pour la grange, où elle prit une brassée de foin, juste au tas où Tom Pouce était couché et dormait. Mais il dormait si fort qu'il ne s'aperçut de rien, et il ne se réveilla que quand il fut dans la gueule de la vache qui avait avalé le foin.

– Ah ! Dieu ! s'écria-t-il, comment ai-je pu tomber dans ce moulin à pilon ?

Il comprit bientôt où il était. Il n'eut garde de s'aventurer entre les dents, qui l'eussent écrasé ; mais il ne put s'empêcher de glisser dans l'estomac.

– Voici une petite chambre à laquelle on a oublié de faire des fenêtres, dit-il, le soleil n'y donne pas, et il n'est pas facile de s'y procurer une lumière.

Ce logement lui déplaisait fort, et le pire était qu'il arrivait continuellement du nouveau foin à la porte, et que la place devenait de plus en plus étroite. Il se mit donc à crier de toutes ses forces avec angoisse :

– Ne m'envoyez plus de foin nouveau ! Ne m'envoyez plus de foin nouveau !

La servante était en train de traire la vache, et quand elle entendit parler et reconnut, sans voir personne, la même voix qu'elle avait entendue pendant la nuit, elle sursauta si fort qu'elle glissa de son tabouret et que le lait se renversa.

Elle courut à son maître en toute hâte et lui cria :

– Ah ! mon Dieu ! Monsieur le curé, la vache a parlé !

– Tu es folle ! répondit le curé, qui alla cependant lui-même à l'écurie voir de quoi il s'agissait.

Mais à peine y eut-il mis le pied que Tom Pouce se mit à crier de nouveau :

– Ne m'envoyez plus de nouveau foin ! Ne m'envoyez plus de nouveau foin !

Alors le curé lui-même eut peur, supposant que c'était le diable, et il ordonna qu'on abattît la vache.

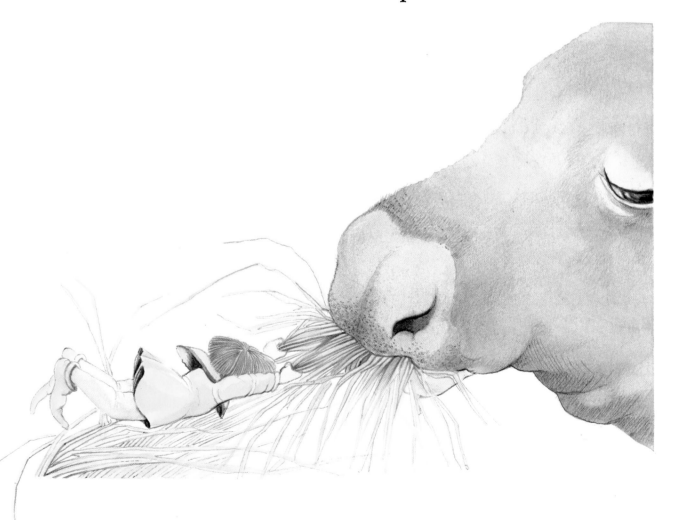

Elle fut donc abattue ; seulement, l'estomac, où était enfermé Tom Pouce, fut jeté sur le fumier. Tom Pouce tâcha de s'y caser, et y eut grande peine ; cependant il finit par y trouver place ; mais au moment où il cherchait à mettre la tête dehors, il lui advint un nouveau malheur.

Un loup affamé passait par là, qui avala tout cet estomac d'un seul morceau. Tom Pouce ne perdit pas courage. « Peut-être y aura-t-il moyen de s'entendre avec le loup », pensait-il. Et, du fond de sa panse, il se mit à lui crier :

– Cher loup, je sais un régal qui t'irait beaucoup mieux !

– Où faut-il aller le chercher ? répondit le loup.

– Dans telle ou telle maison. Tu n'as qu'à entrer par le trou de la cuisine ; tu trouveras du gâteau, du lard, des saucisses, autant que tu en voudras manger.

Et il lui décrivait minutieusement la maison de son père.

Le loup ne se le fit pas dire deux fois. Il entra de nuit par le trou de la cuisine, et, dans la chambre aux provisions, se régala à plaisir. Quand il fut rassasié, il voulut ressortir, mais il était devenu si épais qu'il ne put passer par le même chemin. Tom Pouce avait compté là-dessus, et il recommença alors à faire un vacarme terrible dans le ventre du loup.

– Veux-tu te tenir coi ! lui dit le loup. Tu vas réveiller les gens.

– Ah ! tant pis ! répondit le petit. Tu t'es bien régalé ? Je veux m'amuser aussi.

Et il se remit à crier de toutes ses forces. A force de crier, il réveilla son père et sa mère qui coururent dans la chambre et regardèrent par les fentes de la porte. Quand ils aperçurent le loup, ils se sauvèrent ; l'homme alla chercher la hache, et la femme la faux.

– Reste derrière moi, dit l'homme quand ils entrèrent dans la chambre ; quand je lui aurai donné un coup, s'il n'en est pas mort, tu taperas sur lui et lui déchireras le corps.

Quand Tom Pouce entendit la voix de son père, il s'écria :

– Cher père, je suis ici ; je suis dans le ventre du loup !

– Dieu merci ! dit le père, voilà notre cher enfant retrouvé !

Il dit à sa femme de lâcher sa faux, de peur d'endommager Tom Pouce. Puis il s'avança et donna au loup un coup si violent sur la tête qu'il tomba

roide mort. Alors ils allèrent chercher couteau et ciseaux, lui ouvrirent le ventre et retirèrent le petit.

– Ah ! Dieu ! dit le père, que nous étions en souci à ton sujet !

– Oui, père, j'ai beaucoup couru le monde. Dieu soit loué que j'aie enfin retrouvé l'air libre !

– Et où es-tu donc allé ?

– Ah ! père, je suis allé dans un trou de souris, dans le ventre d'une vache et dans la panse d'un loup. Maintenant, je reste avec vous.

– Et nous ne te revendrions pas pour tous les trésors du monde.

Ils embrassèrent de leur mieux leur cher Tom Pouce, lui donnèrent à manger et à boire, et lui firent faire des habits neufs, car les siens étaient tout usés à la suite du voyage.

Aladdin
et la lampe merveilleuse

Dans la capitale d'un royaume d'Orient vivait un jeune garçon appelé Aladdin. Pieds nus et mal vêtu, il passait ses journées à courir par les rues avec les garnements. Il n'avait plus de père, et c'était sa maman qui devait le nourrir en filant le coton du matin jusqu'au soir.

– Un jour, je serai vieille, lui disait-elle souvent, et pour gagner ta vie, tu devras travailler. Apprends donc un métier !

Mais Aladdin riait :

– Un métier ? J'ai bien le temps ! Je préfère m'amuser !

Et il courait dehors retrouver ses copains.

Or, un après-midi, comme il jouait sur une place, un homme vint vers lui. C'était un étranger qu'on appelait l'Africain, car il avait vécu très longtemps en Afrique où il était connu comme un grand magicien. Il dit à Aladdin :

– Veux-tu devenir riche ?

– Bien sûr ! dit Aladdin. Mais il faut travailler, et moi, je préfère jouer...

Le magicien sourit :

– Travailler ? Quelle idée ! Suis-moi, et tu auras plus de richesses qu'un roi !

C'est ainsi qu'Aladdin, qui ne se méfiait pas, suivit le magicien.

L'homme l'emmena d'abord chez un marchand d'habits où il lui acheta un costume magnifique : une robe brodée d'or, comme les riches en portaient encore en ce temps-là, une paire de chaussures et une toque en fourrure.

– Car, pour pouvoir entrer là où je te conduis, lui dit-il en marchant, il faut être bien mis.

Ils marchèrent très longtemps, traversèrent toute la ville, virent toutes sortes de gens, toutes sortes de quartiers, des maisons misérables et de somptueux palais. Une fois dans la campagne, ils s'arrêtèrent

enfin, juste au pied des montagnes, dans un vaste jardin envahi de broussailles. Aladdin s'inquiéta : était-ce vraiment utile d'être vêtu de soie pour en arriver là ?

– Attends, et tu verras... répondit l'Africain.

Puis, sans se dépêcher, il alluma un feu et renversa dessus une bouteille de parfum. Une épaisse fumée bleue s'éleva vers le ciel, tandis qu'il s'écriait :

– Descends, Esprit fidèle, et dévoile ton secret !

Aladdin, effrayé, sentit alors la terre qui tremblait sous ses pieds. Il recula d'un bond : là, juste devant lui, un trou s'était ouvert ! Dans ce trou : une pierre, bien carrée et munie d'un gros anneau de fer.

– À toi de jouer, maintenant, lui dit le magicien. Cette pierre est magique, et toi seul peux la soulever. Tu trouveras dessous un verger féerique...

– Elle est beaucoup trop lourde ! objecta Aladdin, pas du tout rassuré.

– En effet, lui dit l'homme, mais si tu dis bien haut le nom de ton grand-père et celui de ton père en attrapant l'anneau, elle deviendra légère...

L'enfant fit ce qu'il fallait... et souleva la pierre. Mais au lieu d'un verger, il vit un escalier dont les marches conduisaient à un sombre caveau. Il en eut froid dans le dos.

L'Africain expliqua :

– Le verger est plus loin. Il faut d'abord descendre, puis traverser trois salles, et ensuite ressortir par un autre escalier. C'est trop étroit pour moi, toi seul peux y aller. Mais fais bien attention à ne jamais toucher les murs autour de toi : tu tomberais foudroyé !

Aladdin avait peur, et pour l'encourager, l'homme lui passa au doigt un anneau en disant :

– Voici un talisman qui doit te protéger. Si tu fais comme je dis, rien ne peut t'arriver. Le deuxième escalier débouche dans le verger dont tu pourras cueillir les fruits que tu voudras. Mais le plus important, ce qui nous rendra riches, aussi bien toi que moi, c'est une petite lampe posée dans une niche, au fond de ce verger. Allons, va la chercher !

Aladdin hésitait, mais l'autre le poussa. Il n'avait plus le choix ; il descendit les marches, lentement, pas à pas, en serrant à deux mains sa robe autour de lui. L'Africain l'avait dit : s'il touchait une seule fois un mur ou un objet, il mourrait !

Quand il fut descendu, il traversa sans mal trois grandes salles, comme prévu. La dernière traversée, il aboutit au pied d'un deuxième escalier. Mais celui-ci montait. Aladdin s'avança, et vit de la lumière filtrer à son sommet.

Alors, il s'élança...

Il fut vite arrivé : quel merveilleux verger ! Partout, à l'infini, des arbres par milliers brillaient de tous leurs fruits ! Mais ces fruits singuliers, pas question d'en manger : c'étaient des pierres précieuses, des diamants transparents, des rubis éclatants et des perles laiteuses...

Or le pauvre Aladdin, qui n'y connaissait rien, crut que c'était du verre, des bijoux à trois sous comme en portait sa mère. Il en cueillit tout de même, pour

elle, quelques dizaines dont il emplit ses poches. Puis son regard tomba sur une lampe posée dans le creux d'un rocher, et il se rappela que c'était pour cela qu'il était venu. Il cessa sa cueillette et courut la chercher.

Des lampes comme celle-ci, il y en avait des tas, en Orient, en ce temps-là, et il ne comprit pas pourquoi le magicien la voulait à tout prix...

Revenu sur ses pas, il trouva le bonhomme où il l'avait laissé.

– Tu as la lampe ? Parfait ! lui cria-t-il d'en haut.

Et il tendit la main en ajoutant ces mots :

– Maintenant, donne-la-moi, tu seras plus à l'aise pour finir de monter cet escalier étroit...

C'est alors qu'Aladdin vit un tel éclair d'envie dans ses yeux brillants qu'il se méfia de lui.

– Ça va très bien ainsi, répondit-il, merci !

L'Africain insista, puis, voyant qu'Aladdin ne se laisserait pas faire, il se mit en colère :

– Tu oses me résister ! hurla-t-il, hors de lui. Tu vas le payer cher !

Et, versant sur le feu qui n'était pas éteint le reste du parfum, il proféra des mots qui firent trembler la terre. Avant même qu'Aladdin eût pu faire un seul pas, le trou se referma !

Aussitôt, le garçon courut à l'escalier qui menait au verger. Mais là non plus, hélas, plus la moindre lumière : l'issue était fermée !

– Je suis fait comme un rat ! gémit le prisonnier avant de s'effondrer sur les marches en pleurant.

Résigné à mourir tout seul dans ce trou noir, Aladdin s'endormit. Combien de temps ? Difficile de le dire, faute de voir le soleil... Mais, en se réveillant, il était affamé et il avait très froid. C'est pourquoi il frotta ses deux mains l'une sur l'autre, pensant les réchauffer. Or, en faisant cela, il frotta également l'anneau que l'Africain lui avait mis au doigt en guise de talisman...

Il n'en fallut pas plus pour faire surgir de terre un personnage extraordinaire. Avec ses mains crochues, ses longues moustaches tombantes et ses sourcils en l'air, il paraissait très en colère. Pourtant, il dit ces mots :

– Je suis le génie de l'anneau. Tout ce qui peut te plaire, je suis prêt à le faire. Quel est ton désir le plus cher ?

– Sortir d'ici ! répondit Aladdin dans un cri.

Aussi vite fait que dit : le génie s'évanouit, la caverne s'ouvrit, et Aladdin, ravi, se retrouva dehors, libre comme l'air !

Sans perdre plus de temps, il partit en courant, très impatient de retrouver sa mère.

Quand la brave femme le vit, elle poussa de grands cris :

– Mon enfant ! Mon chéri ! Moi qui te croyais mort ! Que t'est-il arrivé ?

Aladdin raconta ce qui s'était passé, et lui montra la lampe qu'il avait rapportée, ainsi que les diamants, les perles et les pierres. Mais, croyant voir du verre, elle n'en fit aucun cas et les mit dans une boîte où elle les oublia. Quant à la lampe, elle décida de la vendre le lendemain. C'était le seul moyen de racheter du pain, car son fils, affamé, avait tout dévoré.

Elle prit donc un chiffon et astiqua l'objet... Or, deux secondes après, elle le laissait tomber en ouvrant des yeux ronds : un curieux personnage se tenait devant elle, affreux comme un démon. Pourtant, ce qu'il lui dit était plutôt gentil :

– Je suis le génie de la lampe. Fais-moi part de tes souhaits, ils seront exaucés...

Mais ce fut Aladdin qui parla le premier :

– Nous voulons à manger !

Sitôt dit, sitôt fait : le génie apporta non seulement

du pain, mais deux bouteilles de vin et des mets succulents sur de beaux plats d'argent. Il y avait de quoi faire au moins quatre repas ! Ce soir-là, croyez-moi, Aladdin et sa mère dormirent le ventre plein.

Les jours suivants aussi, d'ailleurs... Maintenant qu'ils savaient comment faire apparaître le génie bienfaiteur, ils ne se privaient plus : un petit coup de chiffon sur la lampe du bonheur, et deux minutes après, le repas était prêt !

Or, comme à chaque fois le génie apportait récipients et couverts, ils eurent bientôt des plats, des fourchettes, des cuillères à ne savoir qu'en faire... Aussi décidèrent-ils de vendre sans tarder cette vaisselle inutile.

Elle était en argent, ils la vendirent très cher. Adieu malheur, adieu misère, Aladdin et sa mère avaient enfin trouvé comment gagner leur vie sans trop se fatiguer.

Ils continuèrent ainsi durant plusieurs années. Aladdin grandissait et, chaque jour, s'instruisait. Lui qui avait affaire à de riches commerçants, apprit les bonnes manières et l'art de distinguer le diamant et le verre. C'est ainsi qu'il comprit que les fruits colorés cueillis dans le verger étaient des pierres précieuses, et qu'il avait chez lui une fortune fabuleuse !

Il en était encore à compter son trésor et à se demander comment le dépenser, quand un grand événement bouleversa ses pensées : Badroulboudour, fille aînée du sultan et princesse de haut rang, vint un jour à passer. Suivie de ses servantes, elle s'en allait au bain, l'éventail à la main et le visage voilé : impossible de savoir si ce que l'on disait de sa grande beauté était vrai...

Aladdin, intrigué, la suivit de son mieux, sans se faire remarquer. Puis, une fois sur les lieux, caché derrière une porte, il ouvrit de grands yeux : sous le voile qu'elle ôta, la princesse révéla un visage merveilleux. Non, jamais de sa vie Aladdin n'avait vu jeune fille aussi jolie. La seconde qui suivit, il était amoureux !

Il courut chez sa mère et lui raconta tout. Elle crut qu'il était fou, surtout lorsqu'il lui dit qu'il voulait l'épouser.

– Épouser la princesse ! s'écria la brave femme. Mais son père est sultan, et nous deux, mon enfant, nous sommes de pauvres gens !

– Pas si pauvres que ça, répliqua Aladdin.

Et il alla chercher la boîte qui contenait, depuis tellement d'années, le trésor ignoré cueilli dans le verger. Il lui montra les perles, les diamants, les rubis, et lui dit :

– Ils sont vrais ! Chacun de ces diamants vaut certainement plus cher que tous les plats d'argent que nous avons vendus. Si tu vas au palais avec un tel présent, je suis persuadé que tu seras reçue.

– Au palais ! dit la mère, mais je n'oserai jamais ! Que dirais-je au sultan ?

– Que ton fils aime sa fille et qu'il veut l'épouser ! Puis tu déposeras ton cadeau à ses pieds. Oh ! je t'en prie, maman, si tu ne le fais pas, je crois que je mourrai !

Comme elle était timide et comme elle avait peur, la maman d'Aladdin, le lendemain matin, quand elle alla frapper aux portes du palais ! Elle tenait son cadeau serré contre son cœur : une grande coupe contenant les pierres et les diamants, recouverts d'un linge blanc.

Ce qui la rassura, c'est qu'elle n'était pas seule : des dizaines de gens venaient, parfois de loin, demander au sultan un conseil ou une faveur, et cela presque chaque jour. Et ils étaient reçus, patiemment, un à un. Elle s'assit dans un coin et attendit son tour. Mais lorsqu'il arriva, elle se fit si petite qu'on ne la vit même pas...

Aladdin la gronda en la voyant rentrer, toute confuse et penaude, les bras encore chargés des pierres et des diamants. Si bien qu'elle lui promit de parler au sultan le jour suivant, sans faute.

Mais ce jour-là, hélas, il était à la chasse, et elle trouva fermées les portes du palais. Quelle affreuse déception pour le pauvre Aladdin ! Plus le temps s'écoulait, plus il s'impatientait. Il crut mourir d'amour jusqu'au lendemain matin !

Cette fois-ci, cependant, sa mère vit le sultan.

Il la reçut assis sur son trône étincelant.

Elle ne s'en approcha que lorsqu'il lui fit signe, et s'inclina très bas pour lui baiser les pieds.

– Que puis-je pour vous, bonne femme ? lui dit-il sans attendre qu'elle se fût redressée.

La malheureuse tremblait et n'osait pas parler.

– Allons, vite, dépêchez !

– Sire, finit-elle par dire, je crains que ma demande ne blesse Votre Majesté... Elle est si audacieuse, si folle, si insensée...

– Je vous l'ordonne : parlez ! dit le sultan piqué par la curiosité. Quoi que vous demandiez, vous serez pardonnée...

– Eh bien voilà, dit-elle, c'est mon fils, Aladdin... il a vu... il voudrait...

Mais au lieu d'avouer enfin la vérité, elle souleva le linge qui cachait les diamants, en disant :

– Il voudrait vous offrir ce modeste présent...

Le sultan sursauta : jamais il n'avait vu trésor comme celui-là ! La mère en profita, et dit tout, d'un seul coup :

– Mon fils aime votre fille, il est amoureux fou, et il veut l'épouser !

Et elle ferma les yeux, certaine, après cela, que le sultan furieux allait la renvoyer...

Eh bien non, pas du tout ! Le trésor avait fait tellement d'effet sur lui que le sultan lui dit :

– Dites à votre fils que ma réponse est oui !

Ce n'est pas difficile d'imaginer la joie d'Aladdin ce soir-là !

Mais le lendemain matin, le pauvre déchanta.
Il reçut du sultan un message qui disait :
« Si le jeune Aladdin veut ma fille en mariage,

qu'il lui fasse apporter, par quarante esclaves noirs et quarante esclaves blancs, quarante bassins d'argent remplis de pierres précieuses, de perles et de diamants. »

– Il a changé d'avis, dit la mère à son fils, et comme il ne veut pas nier ce qu'il a promis, il te demande des choses que tu ne peux pas donner...

– Eh bien, c'est ce qu'on va voir ! répliqua Aladdin.

Et il alla tout de suite chercher la lampe magique. Dès qu'il la frotta, le génie apparut.

– Me voilà ! Que veux-tu ? dit-il d'un ton bourru.

Aladdin le lui dit. Et, deux secondes après, les esclaves au complet firent leur apparition. C'est à peine s'ils tenaient dans la petite maison. Ils étaient tous superbes, dans leurs costumes de fête, et portaient sur leurs têtes de grands bassins d'argent débordant de diamants !

Aladdin commanda qu'ils se rendent au palais, déposer leurs richesses au pied de la princesse. Puis il dit à sa mère :

– Va avec eux, maman. Tu me rapporteras la réponse du sultan.

Quand, plus d'une heure après, elle revint du palais, la brave femme pleurait. Aladdin, affolé, crut qu'ils avaient échoué... mais elle le détrompa :

– Ne fais pas cette tête-là, gros bêta, ce sont des pleurs de joie ! Quand le sultan a vu les esclaves arriver, il n'en revenait pas, et il s'est écrié : « Celui qui peut offrir d'un coup tant de richesses est digne d'épouser la plus belle des princesses ! » Je suis si fière de toi, si émue, si heureuse !

Mais c'était Aladdin le plus heureux des deux. Comme elle pleurait toujours, il embrassa sa mère et lui fit faire trois tours d'une danse imaginaire. En dansant, il chantait, mais sa mère le fit taire :

– Une petite chose m'inquiète... C'est que, parmi les gens qui entourent le sultan, il y en avait un qui n'était pas content et poussait des soupirs : le grand vizir. Il paraît que son fils espérait lui aussi épouser la princesse. Tu devras te méfier de cet homme, à l'avenir.

Mais Aladdin n'écoutait déjà plus. Il prit la lampe magique qu'il frotta de la main, et, dès qu'il apparut, ordonna au génie :

– Je voudrais prendre un bain !

À peine eut-il parlé qu'il se sentit soulevé par d'invisibles mains, avant d'être plongé dans un immense bassin débordant de parfums. Quelle merveilleuse toilette ! Comme il se sentait bien ! Il en ressortit propre et doux, de la tête jusqu'aux pieds.

Puis on le revêtit de magnifiques habits dont il put admirer, dans des miroirs de prix, le bel effet sur lui.

Quand il revint chez lui, sa mère poussa des cris tellement il était beau.

– Et ce n'est pas fini, lui dit-il en riant. Le génie m'a promis cent esclaves de couleur et cent serviteurs blancs ! Un cheval également ! Et pour toi, chère maman, trente servantes fidèles, obéissantes et belles !

Dès qu'il eut dit ces mots, tout se réalisa. Lui qui n'avait jamais approché un cheval monta le sien sans mal, car il avait reçu non seulement la richesse, mais la grâce et l'adresse.

– Au palais du sultan ! dit-il en le fouettant.

Le cheval obéit, et tout le monde le suivit.

Les gens, voyant passer ce cortège merveilleux, n'en croyaient pas leurs yeux... Surtout quand les esclaves se mirent à faire pleuvoir des pièces d'or derrière eux !

– Béni soit Aladdin ! criait la foule ravie de s'enrichir ainsi.

Quelques minutes plus tard, les portes du palais s'ouvraient grand devant lui.

Le sultan l'accueillit. Il ne fut pas déçu, et Badroulboudour non plus... Car même si Aladdin ne la rencontra pas, la princesse l'observait derrière des jalousies. Elle tomba aussitôt amoureuse de lui. Mais pas question pour elle de montrer son visage : elle devait le cacher jusqu'au jour du mariage, telle était la coutume en Orient, en ce temps-là. C'est donc avec son père qu'Aladdin s'entretint. Tout se passa très bien, et le sultan convia le jeune homme et sa mère à un somptueux festin. Puis il leva son verre :

– Gloire à toi, Aladdin ! Tu es digne de ma fille et je te donne sa main ! Quand veux-tu l'épouser ?

– Dès que j'aurai construit un palais assez beau pour qu'elle puisse y entrer ! répondit le jeune homme.

– Bravo ! dit le sultan, ce sont de sages paroles !
Et il vida son verre.

Lorsque, le soir venu, Aladdin et sa mère furent de retour chez eux, la brave femme déclara :

– Explique-moi, mon garçon, car je ne comprends pas. Voilà bientôt six mois que tu n'as qu'un seul rêve : épouser la princesse. Or, au moment précis où il se réalise, c'est toi qui détruis tout en faisant une promesse impossible à tenir ! Es-tu devenu fou ?

– Pas du tout ! répondit Aladdin.

Et, pour le lui prouver, il prit la lampe magique et se mit à frotter...

Avant que le génie eût le temps de parler, il dit ce qu'il voulait : un palais tout en marbre, digne de la princesse. Il aurait des croisées décorées de diamants, des sols de mosaïques, au moins quatre cents pièces, tout ce qu'il faut dedans, et serait entouré de jardins magnifiques... Sans oublier, bien sûr, une foule de domestiques !

Le génie écoutait, pas du tout étonné. Quand il ouvrit la bouche, ce fut pour demander :

– En quel endroit veux-tu que se dresse ce palais ?

– En face, exactement, de celui du sultan, répondit Aladdin.

– Très bien, dit le génie. Je viendrai te prévenir dès qu'il sera construit.

Sur ce, il s'évanouit.

Aladdin, tout content, se tourna vers sa mère :

– Tu me trouves toujours fou, à présent ?

– À mon avis, dit-elle, tu attendras longtemps...

Mais dès le lendemain matin, le génie apparut et dit à Aladdin :

– Ton palais est construit. Veux-tu le visiter ?

Le jeune homme, stupéfait d'une telle rapidité, lui fit signe que oui, et la seconde d'après s'y trouva transporté.

Le palais était tel qu'il l'avait commandé... mais en dix fois plus grand, dix fois plus étonnant et plus éblouissant ! Quand il entra dedans, Aladdin constata que de nombreuses personnes s'y activaient déjà : femmes de chambres, cuisiniers, serviteurs et portiers. Tous s'inclinaient très bas en le voyant passer.

Par une fenêtre, il vit le palais du sultan. Il était juste en face, comme il l'avait souhaité, avec une grande allée permettant d'y aller. Ainsi Badroulboudour pourrait-elle facilement voir son père tous les jours, sans quitter son époux. Aladdin, enchanté, remercia le génie comme il le méritait.

Mais dans l'autre palais, quelqu'un, au même instant, était fou de colère. Pas la princesse, bien sûr, ni elle, ni son père : tous deux, à leur réveil, applaudirent au contraire en voyant la merveille. Non. Celui qui rouspétait, protestait, tempêtait, et poussait des soupirs, c'était le grand vizir.

– Ce palais n'est pas vrai ! lança-t-il au sultan. C'est un tour de magie ! Personne ne peut construire un palais en une nuit !

– Et pourtant il est là ! répliqua le sultan. Par la grâce d'Aladdin, qui est riche et puissant ! Quoi que vous en pensiez, il mérite la princesse et l'épousera demain !

Ce qui fut dit fut fait. Le mariage fut conclu le lendemain matin, et le soir du même jour, les mariés s'installaient dans leur somptueux palais.

Ce fut le commencement d'une belle histoire d'amour. Les époux s'adoraient un peu plus chaque jour, et la mère d'Aladdin, qui vivait non loin d'eux, s'entendait à merveille avec Badroulboudour.

Aladdin s'occupait des affaires du royaume, et plus le temps passait, plus le peuple l'aimait. Chaque fois qu'il sortait prier à la mosquée, ou qu'il allait chasser, il faisait distribuer des pièces d'or sans compter. Tout le monde parlait de lui et, dans tout le pays, on vantait sa bonté, sa générosité, son art de faire régner partout l'ordre et la paix.

Il devint si célèbre par-delà les frontières, les montagnes et les mers, que son nom arriva bientôt jusqu'en Afrique. Là se trouvait quelqu'un qui le connaissait bien, mais qui le croyait mort depuis de longues années : le fameux magicien ! Il devina sans peine ce qui s'était passé : si le pauvre Aladdin était riche aujourd'hui, c'était grâce à la lampe trouvée dans le verger. Il se fit le serment de la récupérer !

Par un tour de magie, il se rendit en Orient. Là, il se déguisa en marchand ambulant et acheta quelques lampes. Puis, sachant qu'Aladdin était parti chasser, il s'en alla rôder autour de son palais. En marchant, il criait :

– Qui voudrait échanger une vieille lampe contre une neuve ?

Et ce qu'il espérait arriva sans tarder. Une fenêtre s'ouvrit, où parut une servante qui brandissait une lampe. Le magicien la prit et reconnut tout de suite la fameuse lampe magique. Il était si content qu'il laissa les douze autres en échange de celle-ci. La servante, ahurie, criait encore merci, qu'il s'enfuyait déjà en emportant l'objet.

Dès qu'il fut arrivé dans un coin à l'abri, il fit ce qu'il fallait pour que vienne le génie.

– Commande, et j'obéis ! déclara celui-ci.

– Je veux que tu transportes le palais d'Aladdin en Afrique, au plus vite, ordonna l'Africain... avec le mobilier et les gens qu'il contient !

– Parfait, dit le génie. Et toi, tu restes ici ?

– Bien sûr que non ! dit-il. Transporte-moi aussi !

Ce qui fut dit fut fait, et, deux minutes après, le génie s'envolait, emportant le palais et l'Africain avec !

Imaginez la tête du pauvre Aladdin quand, revenant de chasse, il ne retrouva rien : ni palais, ni jardins, ni meubles ni serviteurs... Mais le plus grand malheur, c'est que sa femme chérie n'était plus là non plus, ni sa chère mère d'ailleurs ! Éperdu de douleur, il courut comme un fou au palais du sultan...

– Ah ! te voilà, brigand ! s'écria celui-ci. Qu'as-tu fait de ma fille ? Je n'aurais pas dû rire lorsque

le grand vizir maudissait ton palais, et qu'il me répétait : « C'est un palais maudit, rien qu'un tour de magie ! » Si, dans quarante-cinq jours, ma chère Badroulboudour n'est toujours pas de retour, ta tête sera tranchée !

Aladdin, comprenant que tout ce qu'il dirait ne servirait à rien, préféra s'en aller.

Il parcourut la ville jusque dans ses faubourgs, en cherchant partout Badroulboudour. Personne ne l'avait vue. Et lorsqu'il expliquait qu'elle avait disparu avec tout son palais, on le traitait de fou. Il se rendit ensuite dans les villes voisines et, petit à petit, explora tout le royaume... Hélas, sans résultat !

Le quarante-troisième jour, il était tellement las, tellement désespéré, que, voyant une rivière, il courut s'y jeter. Mais, avant de l'atteindre, heureusement, il glissa. Or, en tombant, il se frotta la main sur les pierres du chemin. Et comme, à cette main-là, il portait justement l'anneau reçu jadis en guise de talisman, le génie apparut :

– Me voilà, que veux-tu ?

– Revoir Badroulboudour ! s'écria Aladdin.

Son cri fut si perçant, si vrai, si déchirant que le génie, touché, l'exauça sur-le-champ. Mais au lieu de retrouver la princesse, ce fut lui, Aladdin, qui fila en Afrique : son palais était là, immense oasis verte au milieu du désert... Pourvu que la princesse se trouve encore dedans !

S'approchant d'une fenêtre de son appartement, il frappa discrètement. Quelques secondes après, la fenêtre s'ouvrait... et qui apparaissait ? La princesse en personne !

Elle était prisonnière du cruel magicien qui voulait l'épouser contre sa volonté. Comme elle était heureuse de revoir Aladdin ! Quant à lui, croyez-moi, il le lui rendait bien. Toutefois, il s'étonna :

– Tu n'as pas l'air surprise ?

– C'est vrai, dit la princesse, car cette nuit je t'ai vu en rêve. Depuis, je t'attendais... Mais rejoins-moi : je t'expliquerai ce que j'ai comploté...

– Pour l'instant, dit la belle, lorsqu'il fut auprès d'elle, l'Africain est absent. Mais dès qu'il rentrera, tu iras te cacher, et pendant ce temps-là, je mettrai dans son verre une poudre mortelle qu'une servante m'a achetée. Ensuite, à toi de jouer. Car j'ignore, pour ma part, comment rentrer en Orient...

– Eh bien, moi, je le sais ! s'exclama Aladdin. Ce n'est pas difficile, mais il faut retrouver une lampe qui m'appartient et qui, pour le moment, doit être entre les mains de l'affreux magicien...

À peine eut-il dit ce nom qu'une porte claqua.

– C'est lui ! dit la princesse. Viens vite te cacher là !

Et Aladdin sauta dans un coffre à habits qu'elle referma sur lui.

Comme le temps parut long au malheureux garçon dans son obscure cachette ! Des dizaines de questions lui traversaient la tête : et si Badroulboudour avait mal calculé son terrible projet... si le poison mortel ne faisait pas d'effet... si l'Africain, méfiant, refusait la boisson... Plus les secondes passaient, plus il s'impatientait et plus son cœur battait !

Enfin, un bruit de pas lui fit dresser l'oreille. Étaient-ce ceux de sa femme ou ceux de son geôlier ? À peine eut-il le temps de se le demander que le coffre s'ouvrit : c'était Badroulboudour ! Et elle lui souriait !

– Viens voir ! s'écria-t-elle.

Il bondit hors du coffre et marcha derrière elle, vers la salle à manger où tout s'était passé. Là, il poussa un cri : non seulement l'Africain gisait sur le tapis, mais la lampe merveilleuse était à côté de lui !

– Je viens de la trouver en fouillant son habit, expliqua la princesse.

– Alors, nous sommes sauvés ! s'écria Aladdin. Je vais chercher ma mère !

– Ce n'est pas nécessaire, lui répondit celle-ci.

Prévenue par les servantes, elle était accourue, impatiente de revoir son cher fils disparu. Mère et fils s'embrassèrent, profondément émus !

Quant à Badroulboudour, elle n'avait qu'une envie : revoir son père chéri. Aladdin prit la lampe, et en moins d'une seconde, fit paraître le génie.

– Nous voulons retourner dans notre cher pays !

À peine eut-il parlé que jardins et palais, servantes et valets, maman, femme et mari, tous ensemble s'envolaient.

Lorsque, le lendemain, en ouvrant ses volets, le sultan, fou de joie, découvrit le palais, le vizir entêté eut beau lui répéter que c'était pure magie, il s'y précipita...

Et il fit bien, ma foi : moins d'un quart d'heure plus tard, il tenait sa chère fille serrée dans ses bras.

Tout le restant du jour, on fit un grand festin pour fêter son retour et celui d'Aladdin. Et si, parmi les rires, on entendit parfois quelques profonds soupirs, personne ne s'étonna : c'était le grand vizir !

L'Oiseau-de-feu

Très loin d'ici, par-delà trois fois neuf pays, au trois fois dixième royaume, il y avait un tsar nommé Vislav. Ce tsar avait trois fils : le premier s'appelait Vassili, le second Dimitri et le troisième Ivan.

Le palais du tsar était entouré d'un si beau jardin que nulle part au monde on n'aurait pu en trouver un pareil. Dans ce jardin il y avait toutes sortes d'arbres très rares : des arbres sans fruits et des arbres chargés de fruits. Il y avait surtout un pommier que le tsar préférait entre tous, parce qu'il y poussait des pommes d'or.

Un merveilleux oiseau avait pris l'habitude de venir toutes les nuits dans le jardin. C'était l'Oiseau-de-feu, au plumage d'or et aux yeux de cristal d'Orient. Il se posait sur l'arbre favori, cueillait des pommes et s'envolait.

Le tsar Vislav avait bien du chagrin de voir que ses belles pommes d'or disparaissaient de jour en jour.

Il appela ses fils et leur dit :

— Mes chers enfants, lequel de vous trois pourra attraper l'Oiseau-de-feu dans mon jardin ? À qui me l'apportera vivant, je donnerai la moitié de mon royaume et l'autre moitié lui reviendra après ma mort.

Alors les princes s'écrièrent :

— Gracieux tsar-petit père ! C'est avec joie que nous essayerons d'attraper l'Oiseau-de-feu !

La première nuit, le prince Vassili alla guetter l'oiseau dans le jardin. Il s'assit sous le pommier aux fruits d'or, mais il s'endormit et n'entendit pas venir l'Oiseau-de-feu, qui mangea beaucoup de pommes.

Le matin, le tsar Vislav appela Vassili et lui demanda :

— Eh bien, mon cher fils, as-tu vu l'Oiseau-de-feu ?

Le prince répondit :

– Non, gracieux souverain-petit père, il n'est pas venu cette nuit.

La nuit suivante, ce fut le prince Dimitri qui alla guetter l'oiseau. Il s'installa, comme l'avait fait son frère, sous le pommier merveilleux, il veilla une heure, deux heures, puis il s'endormit d'un si profond sommeil qu'il n'entendit pas, lui non plus, arriver l'Oiseau-de-feu.

Le matin, le tsar appela Dimitri et lui demanda :

– Eh bien, mon cher fils, as-tu vu l'Oiseau-de-feu ?

– Gracieux souverain-petit père, il n'est pas venu.

La troisième nuit, ce fut le tsarévitch Ivan qui alla faire le guet dans le jardin. Il s'assit sous le pommier et attendit. Une heure passa, puis deux heures, puis trois heures.

Soudain, tout le jardin s'illumina : l'Oiseau-de-feu était arrivé. Il se posa sur le pommier et commença à donner des coups de bec dans les pommes. Ivan s'approcha si doucement qu'il put lui saisir la queue ; cependant, il ne réussit pas à prendre l'oiseau merveilleux qui s'échappa de ses mains et s'envola. Une seule plume lui resta entre les doigts.

Au matin, dès que le tsar fut éveillé, le tsarévitch Ivan alla le trouver et lui remit la plume de l'Oiseau-de-feu. Elle rayonnait avec tant d'éclat qu'elle pouvait éclairer une grande salle obscure, tout autant qu'une énorme quantité de bougies. Le tsar Vislav fut content qu'Ivan eût réussi à prendre au moins une plume de l'oiseau merveilleux, et il ordonna de la garder dans ses appartements. À partir de ce temps, l'Oiseau-de-feu ne revint plus dans son jardin.

Un jour, le tsar Vislav appela de nouveau ses fils et leur dit :

– Mes chers enfants, je vous donne ma bénédiction ; mettez-vous en route, à la recherche de l'Oiseau-de-feu. À qui me l'apportera vivant, je donnerai la moitié de mon royaume, et l'autre moitié lui reviendra après ma mort.

Les princes Vassili et Dimitri enviaient leur frère d'avoir pu saisir la plume merveilleuse ; ils partirent ensemble et refusèrent d'emmener Ivan. Celui-ci s'apprêta à aller seul de son côté à la recherche de l'Oiseau-de-feu, mais le tsar lui dit :

– Mon cher fils, mon cher enfant, tu es jeune, tu n'as pas l'habitude des voyages longs et difficiles. Pourquoi veux-tu t'éloigner de moi ? Qu'adviendra-t-il si vous restez longtemps absents tous les trois ? Je me sens vieillir, je peux mourir ; qui régnera à ma place ?

Cependant, malgré tout le désir qu'éprouvait le tsar de retenir son fils, il dut céder à ses pressantes prières. Ivan demanda la bénédiction de son père, choisit un cheval et partit devant lui au hasard.

Il chevaucha longtemps, longtemps. Une histoire se raconte vite, mais plus lentement se font les choses.

Enfin, il arriva au milieu de grandes prairies vertes. À cet endroit se trouvait une borne où on lisait : « Celui qui continuera tout droit aura faim et froid ; celui qui prendra à droite restera sain et sauf, mais son cheval périra ; celui qui ira à gauche sera tué, mais son cheval restera vivant. »

Ivan se dirigea à droite : « Pourvu, se dit-il, que je reste sain et sauf, j'arriverai bien à remplacer mon cheval. » Il chevaucha pendant toute une journée, puis toute la journée suivante. Au bout du troisième jour, il rencontra un énorme loup gris qui lui dit :

– Tu es venu jusqu'ici, tsarévitch Ivan ! Pourtant, tu as lu sur la borne que ton cheval devait mourir. Alors, pourquoi as-tu choisi cette route ?

Le loup, ayant prononcé ces paroles, tua le cheval et disparut.

Ivan fut très affligé par la perte de sa monture. Il pleura à chaudes larmes et continua son chemin à pied. Il marcha toute la journée, et, accablé de fatigue, il allait s'asseoir pour se reposer, quand le Loup-gris le rejoignit et lui dit :

– J'ai pitié de toi, tsarévitch Ivan, te voilà bien fatigué et obligé d'aller à pied ; je regrette d'avoir dévoré ton bon cheval. Allons, monte sur mon dos, et dis-moi où tu veux que je te conduise.

Ivan expliqua au loup le but de son voyage, et le loup se mit à courir plus vite qu'un cheval. Au bout de quelque temps, en pleine nuit, il s'arrêta devant un grand mur de pierres.

– Allons, tsarévitch Ivan, dit-il, mets pied à terre et grimpe sur le mur : de l'autre côté, il y a un jardin ; tu y verras l'Oiseau-de-feu. Prends-le, mais ne touche pas à sa cage ; autrement, tu ne pourrais pas revenir, on t'arrêterait tout de suite.

Ivan escalada le mur, tout joyeux d'avoir trouvé l'Oiseau-de-feu. Il le sortit de sa cage d'or, mais il se ravisa aussitôt et se dit : « Pourquoi ai-je pris l'oiseau sans la cage ? Comment pourrais-je le porter ? » Il saisit la cage, mais, au même moment, un grand bruit retentit dans le jardin. Les gardiens se réveillèrent, accoururent et arrêtèrent Ivan. Ils le conduisirent devant leur roi, qui s'appelait Dolmat. Celui-ci, fort en colère, s'écria :

– Comment n'as-tu pas honte de venir me voler ? Qui es-tu ? De quel pays viens-tu ? Qui est ton père et comment t'appelle-t-on ?

Le prince répondit :

– Je suis le fils du tsar Vislav et je me nomme Ivan. Ton Oiseau-de-feu avait pris l'habitude de venir toutes les nuits dans notre jardin ; il arrachait les pommes d'or du pommier favori de mon père et abîmait l'arbre. Le tsar m'a envoyé à la recherche de l'oiseau, j'ai promis de le lui rapporter.

– Dis-moi, jeune tsarévitch, crois-tu avoir agi honnêtement ? Si tu étais venu me le demander, je t'aurais donné l'oiseau. Maintenant, si je fais savoir dans tous les royaumes de quelle manière tu as agi envers moi, que pensera-t-on de toi ? Cependant, écoute, Ivan, si tu me rends le service que je vais te demander, je te pardonnerai et je te remettrai l'Oiseau-de-feu. Il s'agit d'aller dans un royaume très éloigné, chez le roi Afron, et de lui prendre son Cheval-à-crinière-d'or. Si tu ne me l'amènes pas, je dirai partout que tu es un voleur.

Le prince Ivan, accablé de tristesse, quitta le roi Dolmat, après avoir promis de lui ramener le Cheval-à-crinière-d'or. Il retourna vers le Loup-gris et lui raconta ce que lui avait dit le roi.

– Ah ! tsarévitch Ivan, dit le loup ; pourquoi ne m'as-tu pas écouté ? Pourquoi as-tu pris la cage ?

– J'ai eu grand tort !

– Allons, soit ! Monte sur mon dos, je te conduirai où il faut aller.

Ivan monta sur le dos du Loup-gris qui partit, rapide comme une flèche. Après une longue course, ils arrivèrent dans le royaume du roi Afron. Le loup s'arrêta devant les magnifiques écuries du palais.

– Entre là, tsarévitch Ivan, lui dit-il : les gardiens dorment tous ; prends le Cheval-à-crinière-d'or, mais ne touche pas à la bride en or, qui est accrochée au mur, ou il t'arrivera malheur.

Ivan pénétra dans l'écurie, et il allait en sortir avec le Cheval-à-crinière-d'or quand il vit la bride suspendue au mur. La tentation fut si forte qu'une fois de plus il désobéit au loup ; il décrocha la bride, mais, tout aussitôt, il se fit un tel bruit que les gardiens se réveillèrent. Saisissant Ivan, ils le conduisirent devant le roi Afron. Celui-ci lui demanda :

– De quel pays viens-tu, qui est ton père et comment t'appelle-t-on ?

– Je suis le fils du tsar Vislav et je me nomme Ivan.

– Jeune tsarévitch, dit le roi Afron, convient-il à

un guerrier loyal de faire ce que tu as fait ? Si tu étais venu me le demander, je t'aurais donné, en tout honneur, le Cheval-à-crinière-d'or. Maintenant, si je fais savoir partout de quelle vilaine manière tu as agi envers moi, que pensera-t-on de toi ?

Cependant, écoute, tsarévitch Ivan ! Si tu me rends le service que je vais te demander, je te pardonnerai et je te donnerai le Cheval-à-crinière-d'or et la bride d'or. Il te faut aller dans un royaume très éloigné, par-delà trois fois neuf pays, chercher la belle princesse Hélène, que j'aime depuis très longtemps et que je n'ai pas pu conquérir. Si tu ne me la ramènes pas, je te ferai enfermer comme voleur.

Ivan promit au tsar de lui ramener la princesse. Il quitta le palais pour rejoindre le Loup-gris, et lui raconta tout ce qui lui était arrivé.

– Ah ! jeune tsarévitch ! dit le loup ; pourquoi ne m'as-tu pas écouté ? Pourquoi as-tu pris la bride d'or ?

– J'ai eu grand tort, répondit Ivan.

– Allons, soit ! Monte sur mon dos, je te conduirai où il faut aller.

Ivan monta sur le dos du loup et celui-ci partit, ventre à terre. Il arriva, après une longue course, dans le royaume d'Hélène-la-Belle. Il s'assit devant

la grille d'or d'un magnifique jardin et dit au prince Ivan :

– Il faut que tu m'attendes un peu plus loin, dans la prairie, sous le chêne vert.

Ivan obéit, et le loup resta devant la grille d'or. Vers le soir, à l'heure où le soleil se couche, quand la chaleur fut tombée, Hélène-la-Belle, entourée de ses servantes et de ses nourrices, sortit dans le jardin. Au moment où elle passait tout près de lui, le Loup-gris, sautant par-dessus la grille, emporta la belle princesse et rejoignit le prince Ivan. Il lui ordonna de monter bien vite sur son dos, derrière Hélène-la-Belle, et il se dirigea vers le palais du roi Afron.

En route, le prince Ivan et la princesse Hélène s'éprirent l'un de l'autre. Lorsque le Loup-gris fut arrivé devant le palais et qu'il fallut conduire la princesse auprès du roi et s'en séparer pour toujours, le jeune tsarévitch ressentit un violent chagrin et fondit en larmes.

– Pourquoi pleures-tu ? demanda le Loup-gris.

– Comment ne pleurerais-je pas, Loup-gris, mon cher ami ? J'aime la belle princesse Hélène, et voilà qu'il me faut la donner au roi Afron pour recevoir de lui, en échange, le Cheval-à-crinière-d'or.

– Je t'ai déjà beaucoup secouru, dit le Loup-gris,

je veux bien te rendre un service encore : je vais prendre l'apparence de la belle princesse, tu me conduiras auprès du roi et tu recevras le Cheval-à-crinière-d'or. Quand je te saurai bien loin du palais, je demanderai au roi la permission d'aller me promener dans les champs. Tu penseras à moi, et cela m'aidera à redevenir loup et à te rejoindre.

Ayant dit, le Loup-gris se jeta contre terre et prit la forme d'une belle princesse.

Le roi éprouva une grande joie quand Ivan lui amena Hélène-la-Belle, car il croyait que c'était elle, et il remit le beau cheval au tsarévitch. Celui-ci partit au galop chercher la belle princesse qui l'attendait sous le chêne vert, et ils se dirigèrent vers le royaume du roi Dolmat.

Ivan et Hélène-la-Belle s'entretenaient, chemin faisant, et le jeune prince oubliait son ami le Loup-gris. Enfin, il pensa : « Où est-il maintenant, mon bon Loup-gris ? »

Tout à coup, le loup apparut devant lui et lui dit :

– Monte sur mon dos, tsarévitch Ivan, et laisse à la princesse le Cheval-à-crinière-d'or.

Le prince obéit et ils continuèrent leur route vers le royaume du roi Dolmat. Ils s'arrêtèrent à trois verstes de la ville.

– Écoute, Loup-gris, mon ami, dit Ivan, voudrais-tu me rendre un service une fois de plus ? Ce sera le dernier. Ne pourrais-tu te transformer en un cheval à crinière d'or pour remplacer celui-ci ? Je voudrais tant le garder !

Le Loup-gris, se jetant contre terre, se transforma en un beau cheval à crinière d'or. Ivan, laissant Hélène-la-Belle dans la prairie verte, s'en alla seul trouver le roi Dolmat. Celui-ci fut tout joyeux de voir arriver Ivan sur un cheval à crinière d'or ; il sortit de son palais pour l'accueillir dans la cour d'honneur, il l'embrassa et, le conduisant par la main, il le fit entrer dans la grande salle. Il fit préparer un festin et tout le monde prit place autour des tables de chêne, recouvertes de nappes splen-

dides. On but, on mangea et pendant deux jours
entiers on se livra à toutes sortes de jeux. Le troisième jour, le roi Dolmat remit à Ivan l'Oiseau-de-
feu dans sa cage d'or.

Le jeune prince quitta la ville, rejoignit Hélène-la-
Belle, et tous deux, montés sur le Cheval-à-crinière-
d'or, prirent le chemin du royaume du tsar Vislav.

Cependant le roi Dolmat, voulant essayer son nouveau cheval, donna l'ordre de le seller.

Arrivé dans les champs, il voulut le faire galoper,
mais le cheval se transforma aussitôt en loup gris.

Celui-ci se mit à courir et disparut aussitôt. Il
rattrapa bien vite le prince Ivan, lui offrit, comme

les autres fois, de monter sur son dos et ils poursuivirent leur route.

Arrivé à l'endroit où il avait un jour tué le cheval du prince, le Loup-gris s'arrêta et dit :

– Je t'ai servi fidèlement, tsarévitch Ivan. C'est ici que j'ai tué ton cheval, c'est ici que je vais te quitter ; va où il te faut aller, je ne te servirai plus.

Le Loup-gris disparut, Ivan pleura à chaudes larmes, car il avait du chagrin de se séparer de son ami.

Ivan et Hélène-la-Belle continuaient toujours à avancer, et ils étaient presque arrivés dans le royaume de Vislav, lorsque, se sentant fatigués, il voulurent se reposer. S'arrêtant sous un arbre, ils y attachèrent le cheval, s'allongèrent dans l'herbe molle et s'endormirent d'un profond sommeil, ayant près d'eux la cage avec l'Oiseau-de-feu.

Cependant les princes Dimitri et Vassili, après avoir longtemps erré dans de nombreux royaumes sans avoir rien trouvé, revenaient chez leur père, les mains vides. Arrivés par hasard à l'endroit où Ivan et la princesse Hélène se reposaient, les méchants princes furent tentés à la vue du cheval merveilleux et de l'Oiseau-de-feu. Ils tuèrent leur frère, puis réveillèrent la belle princesse qui, épouvantée, se mit à pleurer et dit :

– Je suis la princesse Hélène-la-Belle, c'est le tsa-révitch Ivan qui m'a conduite ici. Si vous étiez des guerriers à l'âme droite, vous lui auriez offert le combat loyalement. Mais vous avez tué un homme endormi, quel mérite vraiment ! Frapper quelqu'un qui dort, c'est aussi lâche que de frapper un mort.

Alors, le prince Dimitri menaça la princesse de son épée et dit :

– Écoute, Hélène-la-belle, tu es en notre pouvoir, nous allons te conduire chez notre père, le tsar Vis-lav, et tu lui diras que c'est nous qui t'avons amenée,

ainsi que le Cheval-à-crinière d'or et l'Oiseau-de-feu. Si tu ne le dis pas, nous te ferons mourir.

Les deux princes tirèrent au sort pour savoir lequel d'entre eux épouserait la princesse. Ce fut au prince Vassili que le sort accorda Hélène-la-Belle. Il la fit monter sur son cheval, tandis que le prince Dimitri, chargé de la cage d'or, se mit en route sur le Cheval-à-crinière-d'or.

Le tsarévitch Ivan, frappé par ses méchants frères, resta couché dans le champ pendant trente jours. Le Loup-gris, qui passait par là, reconnut le jeune prince et il voulut le ranimer. Un corbeau s'étant posé par terre auprès du Loup-gris, celui-ci le saisit et lui promit de ne lui faire aucun mal, s'il voulait bien aller chercher l'Élixir-de-vie quelque part, très loin, au trois fois dixième royaume. Le corbeau s'envola et revint au bout de trois jours, chargé d'une fiole pleine de l'eau merveilleuse. Le Loup-gris en aspergea Ivan qui se leva en disant :

– Ah ! comme j'ai dormi longtemps !

– Eh ! oui, tsarévitch Ivan, et, sans moi, tu dormirais d'un sommeil éternel : tes frères t'ont laissé pour mort et ils ont emmené Hélène-la-Belle, le Cheval-à-crinière-d'or et l'Oiseau-de-feu. À présent, hâte-toi de rentrer chez toi, car ton frère Vassili se marie

aujourd'hui même avec la belle princesse Hélène. Monte vite sur mon dos, je te porterai.

Ivan monta sur le dos du Loup-gris, qui partit comme une flèche et arriva bientôt au palais de Vislav. Il mit pied à terre et entra dans la grande salle. Son frère Vassili, qui venait d'épouser Hélène-la-Belle, était assis à côté d'elle à la table du festin. En voyant entrer Ivan, la princesse s'élança vers lui, l'embrassa et s'écria :

– C'est lui mon véritable fiancé, c'est le tsarévitch Ivan, et non le scélérat qui est assis à cette table !

Alors le tsar Vislav se leva et interrogea la princesse qui lui raconta toute la vérité. Vislav entra dans une violente colère et fit jeter en prison ses deux fils aînés.

Le tsarévitch Ivan épousa la belle princesse Hélène et ils vécurent en si grande amitié qu'ils ne voulurent jamais se séparer, même pour quelques instants.

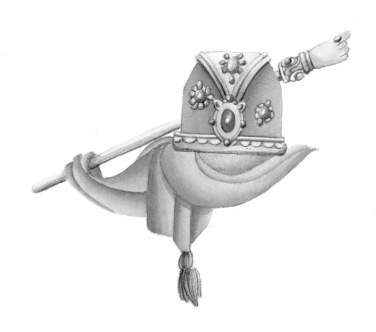

Riquet à la houppe

Il était une fois une Reine qui accoucha d'un fils, si laid et si mal fait, qu'on douta longtemps s'il avait forme humaine. Une Fée qui se trouva à sa naissance assura qu'il ne laisserait pas d'être aimable, parce qu'il aurait beaucoup d'esprit ; elle ajouta même qu'il pourrait, en vertu du don qu'elle venait de lui faire, donner autant d'esprit qu'il en aurait à la personne qu'il aimerait le mieux. Tout cela consola un peu la pauvre Reine, qui était bien affligée d'avoir mis au monde un si vilain marmot. Il est vrai que cet enfant ne commença pas plus tôt à parler qu'il dit mille jolies choses, et qu'il avait dans toutes ses actions je ne sais quoi de si spirituel, qu'on en était charmé. J'oubliais de dire qu'il vint au monde avec une petite houppe de cheveux sur la tête, ce qui fit qu'on le nomma Riquet à la houppe, car Riquet était le nom de la famille.

Au bout de sept ou huit ans la Reine d'un royaume voisin accoucha de deux filles. La première qui vint au monde était plus belle que le jour : la Reine en fut si aise, qu'on appréhenda que la trop grande joie qu'elle en avait ne lui fit mal. La même Fée qui avait assisté à la naissance du petit Riquet à la houppe était présente, et pour modérer la joie de la Reine, elle lui déclara que cette petite Princesse n'aurait point d'esprit, et qu'elle serait aussi stupide qu'elle était belle. Cela mortifia beaucoup la Reine ; mais elle eut quelques moments après un bien plus grand chagrin, car la seconde fille dont elle accoucha se trouva être extrêmement laide.

– Ne vous affligez point tant, Madame, lui dit la Fée ; votre fille sera récompensée d'ailleurs, et elle aura tant d'esprit, qu'on ne s'apercevra presque pas qu'il lui manque la beauté.

– Dieu le veuille, répondit la Reine ; mais n'y aurait-il point moyen de faire avoir un peu d'esprit à l'aînée qui est si belle ?

– Je ne puis rien pour elle, Madame, du côté de l'esprit, lui dit la Fée, mais je puis tout du côté de la beauté ; et comme il n'y a rien que je ne veuille faire pour votre satisfaction, je vais lui donner pour don de pouvoir rendre beau ou belle la personne qui lui plaira.

A mesure que ces deux Princesses devinrent grandes, leurs perfections crûrent aussi avec elles, et on ne parlait partout que de la beauté de l'aînée, et de l'esprit de la cadette. Il est vrai aussi que leurs défauts augmentèrent beaucoup avec l'âge. La cadette enlaidissait à vue d'œil, et l'aînée devenait plus stupide de jour en jour. Ou elle ne répondait rien à ce qu'on lui demandait, ou elle disait une sottise. Elle était avec cela si maladroite qu'elle n'eût pu ranger quatre porcelaines sur le bord d'une cheminée sans en casser une, ni boire un verre d'eau sans en répandre la moitié sur ses habits. Quoique la beauté soit un grand avantage dans une jeune personne, cependant la cadette l'emportait presque toujours sur son aînée dans toutes les compagnies. D'abord on allait du côté de la plus belle pour la voir et pour l'admirer, mais bientôt après, on allait à celle qui avait le plus d'esprit, pour lui entendre dire mille choses agréables ; et on était étonné qu'en

moins d'un quart d'heure l'aînée n'avait plus personne auprès d'elle, et que tout le monde s'était
rangé autour de la cadette. L'aînée, quoique fort
stupide, le remarqua bien, et elle eût donné sans
regret toute sa beauté pour avoir la moitié de l'esprit
de sa sœur. La Reine, toute sage qu'elle était, ne put
s'empêcher de lui reprocher plusieurs fois sa bêtise,
ce qui faillit faire mourir de douleur cette pauvre
Princesse. Un jour qu'elle s'était retirée dans un bois
pour y pleurer sur son malheur, elle vit venir à elle
un petit homme fort laid et fort désagréable, mais

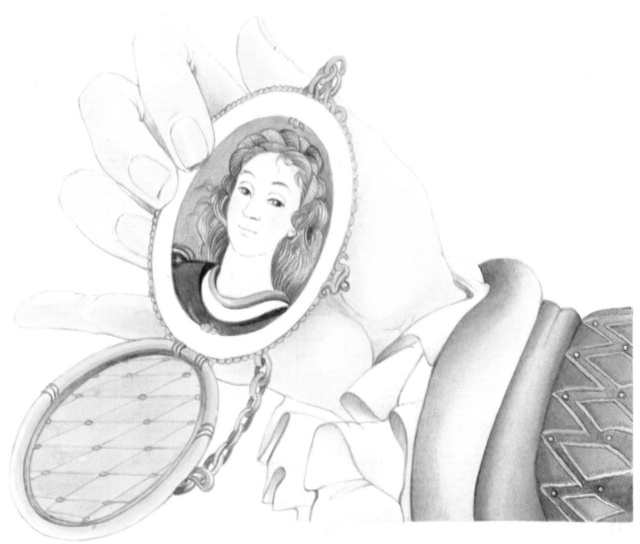

vêtu très magnifiquement. C'était le jeune prince Riquet à la houppe qui, étant devenu amoureux d'elle sur ses portraits qui couraient par tout le monde, avait quitté le royaume de son père pour avoir le plaisir de la voir et de lui parler. Ravi de la rencontrer ainsi toute seule, il l'aborde avec tout le respect et toute la politesse imaginables. Ayant remarqué, après lui avoir fait les compliments ordinaires, qu'elle était fort mélancolique, il lui dit :

– Je ne comprends point, Madame, comment une personne aussi belle que vous l'êtes peut être aussi triste que vous le paraissez ; car, quoique je puisse me vanter d'avoir vu une infinité de belles personnes, je puis dire que je n'en ai jamais vu dont la beauté approche de la vôtre.

– Cela vous plaît à dire, Monsieur, lui répondit la Princesse.

– La beauté, reprit Riquet à la houppe, est un si grand avantage qu'il doit tenir lieu de tout le reste ; et quand on le possède, je ne vois pas qu'il y ait rien qui puisse nous affliger beaucoup.

– J'aimerais mieux, dit la Princesse, être aussi laide que vous et avoir de l'esprit, que d'avoir de la beauté comme j'en ai, et être bête autant que je le suis.

– Il n'y a rien, Madame, qui marque davantage qu'on a de l'esprit, que de croire n'en pas avoir, et il est de la nature de ce bien-là, que plus on en a et plus on croit en manquer.

– Je ne sais pas cela, dit la Princesse, mais je sais bien que je suis fort bête, et c'est de là que vient le chagrin qui me tue.

– Si ce n'est que cela, Madame, qui vous afflige, je puis aisément mettre fin à votre douleur.

– Et comment ferez-vous ? dit la Princesse.

– J'ai le pouvoir, Madame, dit Riquet à la houppe,

de donner de l'esprit autant qu'on en saurait avoir à la personne que je dois aimer le plus, et comme vous êtes, Madame, cette personne, il ne tiendra qu'à vous que vous n'ayez autant d'esprit qu'on en peut avoir, pourvu que vous vouliez bien m'épouser.

La Princesse demeura interdite, et ne répondit rien.

– Je vois, reprit Riquet à la houppe, que cette proposition vous fait de la peine, et je ne m'en étonne pas ; mais je vous donne un an tout entier pour vous y résoudre.

La Princesse avait si peu d'esprit, et en même temps une si grande envie d'en avoir, qu'elle s'imagina que la fin de cette année ne viendrait jamais ; de sorte qu'elle accepta la proposition qui lui était faite. Elle n'eut pas plus tôt promis à Riquet à la houppe qu'elle l'épouserait dans un an à pareil jour, qu'elle se sentit tout autre qu'elle n'était auparavant ; elle se trouva une facilité incroyable à dire tout ce qui lui plaisait, et à le dire d'une manière fine, aisée et naturelle. Elle commença dès ce moment une conversation galante et soutenue avec Riquet à la houppe, où elle brilla d'une telle force que Riquet à la houppe crut lui avoir donné plus d'esprit qu'il ne s'en était réservé pour lui-même. Quand elle fut retournée au palais, toute la cour ne savait que

penser d'un changement si subit et si extraordinaire, car autant on lui avait entendu dire des sottises auparavant, autant lui entendait-on dire des choses bien sensées et infiniment spirituelles. Toute la cour en eut une joie qui ne se peut imaginer ; il n'y eut que sa cadette qui n'en fut pas bien aise, parce que n'ayant plus sur son aînée l'avantage de l'esprit, elle ne paraissait plus auprès d'elle qu'une guenon fort désagréable. Le Roi se conduisait par ses avis, et allait même quelquefois tenir le Conseil dans son appartement. Le bruit de ce changement s'étant répandu, tous les jeunes princes des royaumes voisins firent leurs efforts pour s'en faire aimer, et presque tous la demandèrent en mariage ; mais elle n'en trouvait point qui eût assez d'esprit, et elle les écoutait tous sans s'engager à aucun d'eux. Cependant il en vint un si puissant, si riche, si spirituel et si bien fait, qu'elle ne put s'empêcher d'avoir de l'inclination pour lui. Son père s'en étant aperçu lui dit qu'il la faisait la maîtresse sur le choix d'un époux, et qu'elle n'avait qu'à se décider. Comme plus on a d'esprit et plus on a de peine à prendre une ferme résolution sur cette affaire, elle demanda, après avoir remercié son père, qu'il lui donnât du temps pour y penser. Elle alla par hasard se promener dans le même bois où elle avait trouvé Riquet à la houppe, pour rêver plus commodément à ce qu'elle avait à faire. Dans le temps qu'elle se promenait, rêvant profondément, elle entendit un bruit sourd sous ses pieds, comme de plusieurs personnes qui vont et viennent et qui agissent. Ayant prêté l'oreille plus attentivement, elle entendit que l'on disait :

– Apporte-moi cette marmite.
– Donnez-moi cette chaudière.
– Mets du bois dans ce feu.

La terre s'ouvrit dans le même temps, et elle vit sous ses pieds comme une grande cuisine pleine de cuisiniers, de marmitons et de toutes sortes de gens nécessaires pour faire un festin magnifique. Il en sortit une bande de vingt ou trente rôtisseurs, qui allèrent se camper dans une allée du bois autour d'une table fort longue, et qui tous se mirent à travailler en cadence au son d'une chanson harmonieuse. La princesse, étonnée de ce spectacle, leur demanda pour qui ils travaillaient.

– C'est, Madame, lui répondit le plus dégourdi de la bande, pour le Prince Riquet à la houppe, dont les noces se feront demain.

La Princesse fut encore plus surprise qu'elle ne l'avait été. Se rappelant tout à coup qu'il y avait un an qu'à pareil jour elle avait promis d'épouser le Prince Riquet à la houppe, elle pensa tomber de son haut. Ce qui faisait qu'elle ne s'en souvenait pas, c'est que, quand elle fit cette promesse, elle était une bête, et qu'en prenant le nouvel esprit que le Prince lui avait donné, elle avait oublié toutes ses sottises. Elle n'eut pas fait trente pas en continuant sa promenade que Riquet à la houppe se présenta à elle, brave, magnifique, et comme un Prince qui va se marier.

– Vous me voyez, dit-il, Madame, exact à tenir ma parole, et je ne doute point que vous veniez ici pour exécuter la vôtre, et me rendre, en me donnant la main, le plus heureux de tous les hommes.

– Je vous avouerai franchement, répondit la Princesse, que je n'ai pas encore pris ma résolution là-dessus, et que je ne crois pas pouvoir jamais la prendre telle que vous la souhaitez.

– Vous m'étonnez, Madame, lui dit Riquet à la houppe.

– Je le crois, dit la Princesse, et assurément si

j'avais affaire à un brutal, à un homme sans esprit, je me trouverais bien embarrassée. Une Princesse n'a que sa parole, me dirait-il, et il faut que vous m'épousiez puisque vous me l'avez promis ; mais comme celui à qui je parle est l'homme du monde qui a le plus d'esprit, je suis sûre qu'il entendra raison. Vous savez que, quand je n'étais qu'une bête, je ne pouvais néanmoins me résoudre à vous épouser ; comment voulez-vous qu'ayant l'esprit que vous m'avez donné, qui me rend encore plus difficile que je n'étais, je prenne aujourd'hui une résolution que je n'ai pu prendre dans ce temps-là ? Si vous pensiez tout de bon à m'épouser, vous avez eu grand tort de m'ôter ma bêtise, et de me faire voir plus clair que je ne voyais.

– S'il est vrai qu'un homme sans esprit, répondit Riquet à la houppe, aurait le droit, comme vous venez de le dire, de vous reprocher votre manque de parole, pourquoi voulez-vous, Madame, que je n'en use pas de même, dans une chose où il y va de tout le bonheur de ma vie ? Est-il raisonnable que les personnes qui ont de l'esprit soient d'une pire condition que ceux qui n'en ont pas ? Le pouvez-vous prétendre, vous qui en avez tant, et qui avez tant souhaité d'en avoir ? Mais venons au fait, s'il

vous plaît. A part ma laideur, y a-t-il quelque chose en moi qui vous déplaise ? Êtes-vous mal contente de ma naissance, de mon esprit, de mon humeur, et de mes manières ?

– Nullement, répondit la Princesse, j'aime en vous tout ce que vous venez de me dire.

– Si cela est ainsi, reprit Riquet à la houppe, je vais être heureux, puisque vous pouvez me rendre le plus aimable de tous les hommes.

– Comment cela se peut-il faire ? lui dit la Princesse.

– Cela se fera, répondit Riquet à la houppe, si vous m'aimez assez pour souhaiter que cela soit ; et afin, Madame, que vous n'en doutiez pas, sachez que la même Fée qui au jour de ma naissance me fit le don de pouvoir rendre spirituelle la personne qu'il me plairait, vous a aussi fait le don de pouvoir rendre beau celui que vous aimerez, et à qui vous voudrez faire cette faveur.

– Si la chose est ainsi, dit la Princesse, je souhaite de tout mon cœur que vous deveniez le Prince du monde le plus beau et le plus aimable ; et je vous en fais le don autant qu'il est en moi.

La Princesse n'eut pas plus tôt prononcé ces pa-

roles, que Riquet à la houppe parut à ses yeux
l'homme du monde le plus beau, le mieux fait et le
plus aimable qu'elle eût jamais vu. Quelques-uns
assurent que ce ne furent point les charmes de la
Fée qui opérèrent, mais que l'amour seul fit cette
métamorphose. Ils disent que la Princesse ayant fait
réflexion sur la persévérance de son amant, sur sa
discrétion, et sur toutes les bonnes qualités de son
âme et de son esprit, ne vit plus la difformité de son
corps, ni la laideur de son visage, que sa bosse ne
lui sembla plus que le bon air d'un homme qui fait

le gros dos, et qu'au lieu que jusqu'alors elle l'avait vu boiter effroyablement, elle ne lui trouva plus qu'un certain air penché qui la charmait ; ils disent encore que ses yeux, qui étaient louches, ne lui en parurent que plus brillants, que leur dérèglement passa dans son esprit pour la marque d'un violent excès d'amour, et qu'enfin son gros nez rouge eut pour elle quelque chose de martial et d'héroïque. Quoi qu'il en soit, la Princesse lui promit sur-le-champ de l'épouser, pourvu qu'il en obtînt le consentement du Roi son père. Le Roi ayant su que sa fille avait beaucoup d'estime pour Riquet à la houppe, qu'il connaissait d'ailleurs pour un Prince très spirituel et très sage, le reçut avec plaisir pour son gendre. Dès le lendemain les noces furent faites, ainsi que Riquet à la houppe l'avait prévu, et selon les ordres qu'il en avait donnés longtemps auparavant.

Vassilissa la Belle

DANS un certain pays, dans un certain royaume vivaient un marchand et sa femme. Ils avaient une fille unique, Vassilissa la Belle.

Quand l'enfant eut huit ans, la femme tomba gravement malade.

Elle appela sa fille, lui fit cadeau d'une poupée et lui dit :

– Ecoute, ma fille, et grave dans ta mémoire mes dernières paroles. Je meurs, et avec ma bénédiction maternelle, je te laisse cette poupée : garde-la toujours auprès de toi, ne la montre à personne et, s'il te survient quelque peine, consulte-la.

Puis, la mère embrassa sa fille et rendit le dernier soupir.

Après avoir longtemps pleuré sa femme, le marchand songea à contracter un nouveau mariage. C'était un brave homme, aussi les partis ne lui manquèrent pas ; entre toutes les femmes, une veuve surtout lui plut. Elle était déjà d'un certain âge et avait deux filles, ayant environ l'âge de Vassilissa. Dans tout le pays elle passait pour être une bonne mère. Le marchand épousa la veuve ; mais il fut déçu, car il ne trouva pas en elle une bonne mère pour son enfant. Vassilissa passait pour être la plus belle fille du village. La marâtre et ses filles étaient jalouses de sa beauté : elles ne cessaient de la rudoyer et la surchargeaient de besogne pour la faire maigrir, pour que la fatigue lui donne mauvaise mine.

Vassilissa supportait tout sans murmurer et elle devenait tous les jours plus belle, tandis que les filles de la marâtre, bien que restant toujours les bras croisés et se reposant constamment, devenaient toujours plus maigres et laides, car elles étaient rongées par l'envie.

Mais comment se produisait ce phénomène ? C'était grâce à la poupée, qui protégeait Vassilissa. La poupée la consolait dans ses chagrins, lui donnait de bons conseils et accomplissait pour elle les divers travaux.

Quelques années se passèrent ainsi.

Vassilissa était devenue grande, elle était en âge d'être mariée. Tous les jeunes gens de la ville demandaient sa main, personne ne songeait aux filles de la marâtre. Celle-ci, courroucée, répondait à tous les prétendants :

– Je ne marierai jamais la cadette avant les aînées !

Et, après avoir éconduit les prétendants, elle laissait éclater son dépit contre Vassilissa, sans lui épargner les coups ni les insultes.

Il arriva un jour que le commerçant dut s'absenter pour se rendre dans un autre royaume. La belle-mère partit habiter tout près d'une forêt. Au milieu de cette forêt se trouvait une clairière, et dans cette clairière s'élevait la maisonnette d'une vieille sorcière. Elle ne permettait à personne de s'approcher d'elle et mangeait les hommes comme des poules.

Une fois établie en cet endroit, la marâtre ne cessait d'envoyer dans la forêt, sous divers prétextes, la fille qu'elle détestait, mais celle-ci en revenait toujours saine et sauve : la poupée lui indiquait la route et l'avertissait de l'approche de la vieille sorcière.

Un soir, la marâtre distribua de la besogne à chacune de ses trois filles. Elle chargea l'une de faire de la dentelle, l'autre de tricoter des bas, et Vassilissa

de filer, fixant à chacune la quantité de besogne à exécuter. Elle éteignit les feux dans toute la maison et ne laissa brûler qu'une chandelle. Puis elle alla se coucher.

Les jeunes filles se mirent à l'ouvrage. La mèche de la chandelle était charbonneuse. Une des filles de la marâtre prit les mouchettes pour moucher la chandelle et l'éteignit à dessein.

– Qu'allons-nous faire ? dirent les jeunes filles ; il n'y a plus de feu dans la maison et notre travail n'est pas terminé. Il faut aller chercher de la lumière chez la vieille sorcière.

– Moi j'y vois clair à la lueur de mes épingles, dit celle qui faisait la dentelle ; je n'irai donc pas.

– Moi non plus, ajouta celle qui tricotait ; je vois clair à la lueur de mes aiguilles.

– C'est à toi d'aller chercher du feu, s'écrièrent-elles ensemble. Va chez la sorcière.

Et elles poussèrent Vassilissa hors de la chambre. Vassilissa s'en alla dans sa chambre, servit à sa poupée le souper préparé et lui dit :

– Voilà, chère poupée ; prends cette nourriture et prête une oreille attentive à mes plaintes : on m'envoie chez la vieille sorcière, elle me mangera.

– N'aie pas peur, répondit la poupée ; vas-y si l'on t'y envoie, emmène-moi : avec moi tu n'as rien à redouter.

Vassilissa mit la poupée dans sa poche et s'enfonça dans la forêt épaisse. Elle s'avança ; un frisson la secoua des pieds à la tête. Tout à coup, un cavalier passa au galop devant elle : son visage était tout blanc, il était vêtu de blanc, il montait un cheval blanc dont le harnais était blanc. Le jour commença à poindre.

Elle avançait toujours. Un autre cavalier passa auprès d'elle au galop, le visage rouge, vêtu de rouge, monté sur un cheval rouge. Le soleil parut. Vassilissa marcha nuit et jour et ce ne fut que vers le soir de la deuxième journée qu'elle déboucha dans la clairière où s'élevait la demeure de la vieille sorcière. La palissade qui entourait la maison était composée d'ossements humains et surmontée de crânes ; à la porte, elle vit des jambes d'hommes en place de verrous ; au lieu d'une serrure, une mâchoire d'homme grande ouverte.

Vassilissa, muette d'horreur, s'arrêta, les pieds rivés au sol. Tout à coup, arriva un nouveau cavalier, la figure noire, vêtu de noir de la tête aux pieds et monté sur un cheval noir. Il galopa jusqu'à la porte de la demeure de la vieille sorcière et disparut soudain, comme s'il s'était enfoncé dans les profondeurs de la terre.

La nuit survint ; mais l'obscurité ne régna pas longtemps : les yeux des crânes sur la palissade se mirent à briller. Vassilissa frissonnait d'épouvante ; mais, ne sachant où se sauver, elle demeurait immobile.

Bientôt un bruit formidable se fit entendre : les arbres, les feuilles sèches craquèrent, et la vieille sorcière en personne parut dans la clairière. Arrivée près de sa porte, elle s'arrêta, huma l'air et s'écria :

– Hé ! hé ! Cela sent l'esprit russe ! Qui est là ? Vassilissa s'approcha de la vieille, lui fit un profond salut et lui adressa la parole :

– C'est moi, grand'mère ! Les filles de ma marâtre m'ont envoyée chercher de la lumière chez toi.

– Bien, dit la sorcière, je les connais ; mais il faut d'abord que tu restes un certain temps à mon service, après quoi je te donnerai de la lumière.

Puis elle se tourna du côté de la porte et s'écria :

– Mes verrous solides, tirez-vous ; ma porte, ouvre tes battants !

Les portes s'ouvrirent et la vieille sorcière entra, faisant retentir l'air de ses sifflements. Arrivée dans la chambre, la vieille sorcière se coucha sur le plancher et dit à Vassilissa :

– Sers-moi ici tout ce qu'il y a dans le four, je veux souper !

Vassilissa alluma une brindille en la frottant contre les crânes luisants qui ornaient la palissade. Puis elle tira les mets du four et les servit à la sorcière.

Il y avait là de quoi nourrir dix hommes. Elle alla aussi chercher à la cave du kwass, de l'hydromel, de la bière et de l'eau-de-vie.

La vieille mangea et but tout. Elle ne laissa à Vassilissa qu'un peu de potage aux choux et un croûton de pain. La sorcière alla se coucher en disant :

– Quand je serai partie demain, toi, aie soin de nettoyer la cour, de balayer la chambre, de faire le déjeuner, de préparer le linge. Ensuite tu iras dans le hangar où est amoncelé le blé, tu prendras là un quart de blé, tu en ôteras la nielle. Que tout soit fait, sinon je te mangerai !

Après cela, la vieille sorcière se mit à ronfler. Vassilissa servit les restes à sa poupée et, fondant en larmes, lui dit :

– Viens, ma poupée, mange et prête une oreille attentive à mes plaintes : la vieille sorcière m'a chargée d'une besogne impossible à exécuter et elle menace de me manger si je ne l'ai pas accomplie à l'heure fixée.

La poupée répondit :

– N'aie pas peur, belle Vassilissa ; dîne et va te coucher : la nuit porte conseil.

Vassilissa s'éveilla le lendemain de très bonne heure et regarda par la fenêtre ; les yeux des crânes s'éteignirent ; la silhouette du cavalier blanc brilla devant elle ; il fit grand jour.

La vieille sorcière sortit de la maison, alla dans la cour, fit entendre un sifflement ; et un mortier, un pilon, un balai se présentèrent. Le cavalier rouge passa à son tour, et le soleil parut. La vieille sorcière se mit dans le mortier, sortit de la cour en fouettant le pilon et en effaçant ses traces avec le balai.

Vassilissa, restée seule, visita la maison de la sorcière, admira ses richesses et se mit à réfléchir, en se demandant avec anxiété par où commencer. Mais au premier coup d'œil, elle s'aperçut que toute la besogne était faite ; la poupée ôtait du blé les derniers grains de nielle.

– O toi, ma libératrice, dit Vassilissa à la poupée, tu m'as préservée du malheur.

– Tu n'as plus qu'à préparer le repas, répondit la poupée, en regagnant sa place dans la poche de Vassilissa ; repose-toi en toute tranquillité.

Vers le soir, Vassilissa mit la table et attendit l'arrivée de la vieille sorcière. Il commençait à faire sombre ; le cavalier noir fit son apparition près de la porte et l'obscurité devint complète. Seuls les yeux des crânes étincelaient dans les ténèbres de la nuit. Les arbres se mirent à gronder, les feuilles à craquer.

C'était la vieille qui arrivait. Vassilissa alla à sa rencontre.

– Est-ce que tout est fait ? demanda la sorcière.

– Vois plutôt, grand'mère !

La sorcière regarda tout autour d'elle ; bien dépitée de ne rien trouver à reprendre, elle dit :

– Soit, c'est bien !

Puis elle s'écria :

– Mes serviteurs fidèles, mes amis dévoués, venez moudre mon froment !

Trois paires de mains apparurent, s'emparèrent du froment et l'emportèrent. La vieille mangea tout son soûl et, avant de gagner son lit, dit à Vassilissa :

– Demain tu feras comme aujourd'hui ; de plus, tu trouveras du pavot dans le hangar ; tu le prendras et en enlèveras la poussière.

Ayant dit, elle se retourna du côté du mur et se mit à ronfler. Alors Vassilissa implora de nouveau sa poupée.

La poupée lui répondit comme la veille :

– Ne t'inquiète pas, va te coucher ; la nuit porte conseil ; tu verras demain matin que tout se fera.

Le lendemain, la sorcière s'en alla et Vassilissa et sa poupée se partagèrent la tâche. La vieille revint le soir, examina tout et s'écria :

– Mes fidèles serviteurs, mes amis dévoués, pressez
l'huile du pavot.

Trois paires de bras se présentèrent à cet appel,
prirent le pavot et l'emportèrent. La sorcière se mit
à souper. Pendant qu'elle mangeait, Vassilissa se tint
debout devant elle, gardant le silence.

– Pourquoi donc ne me dis-tu rien ? demanda la sorcière. Es-tu muette ?

– Si tu le permets, je te demanderai...

– Eh bien ! demande ! mais songe qu'il y a des mauvaises questions ; si tu apprends beaucoup, tu avanceras l'heure de la vieillesse.

– Je ne veux te poser que trois questions : en venant ici, j'ai été dépassée par un cavalier au visage blanc, vêtu de blanc et monté sur un cheval blanc. Quel est ce cavalier ?

– C'est mon jour clair, répondit la sorcière.

– Ensuite, j'ai été dépassée par un autre cavalier à la figure rouge, vêtu de rouge, monté sur un cheval rouge. Quel est celui-là ?

– C'est mon beau soleil.

– Et ce cavalier noir qui m'a dépassée près de la porte ?

– C'est ma nuit sombre.

Vassilissa se rappela les trois paires de bras et se tut.

– Pourquoi ne me demandes-tu pas autre chose encore ? dit la sorcière.

– J'en sais assez comme cela : tu as dit toi-même que beaucoup de sagesse fait vieillir vite.

– C'est fort bien, dit la vieille. Je n'aime pas ré-

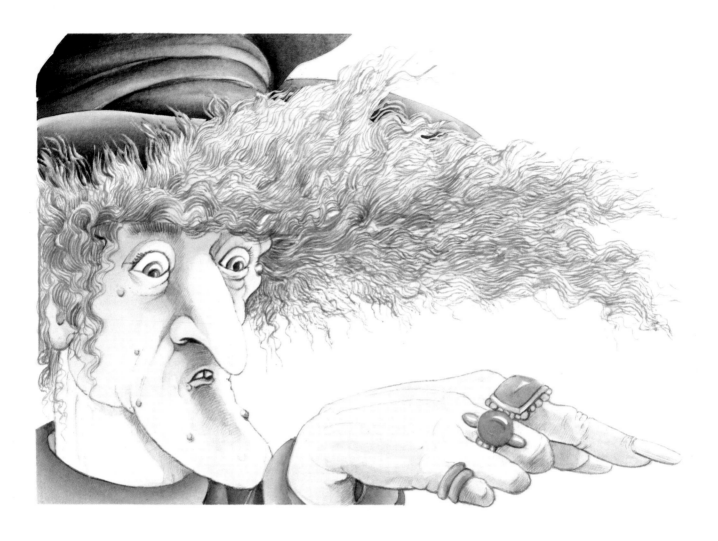

véler mes secrets au monde. A présent, je te poserai cette question : comment as-tu pu t'acquitter des travaux dont je t'ai chargée ?

– Je suis aidée par la bénédiction de ma mère.

– Ah ! voilà la raison ! Sors de chez moi, fille bénie ; je n'aime pas les filles bénies !

Elle empoigna Vassilissa, la fit sortir de la chambre et la poussa hors de la cour ; puis elle prit un crâne parmi ceux de la palissade, un crâne aux yeux étincelants.

Elle le mit sur un bâton et le donna à Vassilissa en lui disant :

– Tiens, voilà de la lumière pour les filles de ta marâtre ; porte-la à la maison.

Vassilissa se mit à courir, guidée par la lumière du crâne.

Au moment d'entrer dans la maison, le crâne dit :

– Ne me jette surtout pas, porte-moi à ta marâtre.

Pour la première fois, on lui fit bon accueil. Depuis qu'elle était partie, ses sœurs et sa marâtre ne savaient plus battre le briquet et la lumière apportée de chez les voisins s'éteignait à l'entrée de la chambre.

– Peut-être, ajoutèrent-elles, la tienne ne s'éteindra-t-elle pas.

On apporta le crâne dans la chambre et les yeux brûlants se fixèrent sur la mère et les filles. Elles essayèrent de se cacher, mais partout elles étaient poursuivies par ce regard terrible. Vers le matin, il ne restait plus d'elles que des cendres. Seule, Vassilissa n'avait pas été atteinte.

Le lendemain, Vassilissa enfouit le crâne, ferma la maison, partit pour la ville et offrit ses services à une vieille femme sans enfants. Ce fut là qu'elle resta, en attendant le retour de son père.

Un jour, elle dit à la vieille femme :

– Je m'ennuie à rester ainsi désœuvrée tout le jour : va m'acheter du lin de la meilleure qualité. Je passerai mon temps à filer.

La vieille femme lui acheta du lin. Vassilissa se mit à filer ; le travail semblait brûler entre ses mains et le fil sortait uni et fin comme un cheveu. Quand il y eut beaucoup de fil préparé, Vassilissa songea à le tisser. Mais où trouver une navette aussi fine ? Vassilissa eut recours à sa poupée, et celle-ci lui fournit une superbe navette.

Vers la fin de l'hiver, la toile était terminée et elle était si fine qu'on pouvait la faire passer par le trou d'une aiguille. Au printemps, on la blanchit, et Vassilissa dit à la vieille femme :

– Va donc vendre cette toile, et l'argent qu'on t'en donnera t'appartiendra tout entier.

– Mais, mon enfant, une pareille toile ne peut convenir qu'au roi ! Je la porterai au palais.

Elle alla au palais du roi et se promena sous ses fenêtres. Le roi l'aperçut et lui dit :

– Que veux-tu, ma bonne vieille ?

– Vois-tu, sire, répondit-elle, j'ai apporté de la marchandise superbe et je veux te la montrer.

Le roi ordonna de faire venir la vieille femme, et aussitôt qu'il eut aperçu la toile, il l'admira :

– Que veux-tu en échange ? demanda le roi.

– Mais, sire, cette toile n'a pas de prix. Je te l'ai apportée en don.

Le roi la remercia et la congédia en la comblant de présents.

On tailla avec cette toile des chemises pour le roi ; mais qui pouvait les coudre ? Après avoir longtemps cherché, le roi rappela la bonne vieille et lui dit :

– Tu as su filer et tisser la toile, tu sauras donc la coudre.

– Cette toile n'est pas mon ouvrage, répondit-elle, mais celui d'une belle jeune fille.

– Eh bien ! qu'elle se charge de la couture.

La vieille femme revint chez elle et raconta tout à Vassilissa, qui lui répondit :

– Je savais bien que ce travail me reviendrait.

Elle s'enferma dans sa chambre et se mit à la besogne, cousant sans cesse, et bientôt une douzaine de chemises se trouva prête. La bonne vieille alla porter les chemises au roi et Vassilissa se coiffa et s'habilla. Tout à coup, elle vit entrer dans la chambre un serviteur du roi qui lui dit :

– Sa Majesté veut voir de ses propres yeux la jeune fille qui a confectionné ces chemises ; elle veut de ses propres mains lui en donner la récompense.

Vassilissa se rendit au palais, se présenta au roi qui, aussitôt qu'il la vit, ressentit pour elle un vif amour.

– Non, ma belle, dit-il, je ne te quitterai plus. Veux-tu devenir ma femme ?

Puis le roi prit les mains blanches de Vassilissa, la fit asseoir à côté de lui sur son trône. Le jour même, on célébra leurs fiançailles. Bientôt le père de Vassilissa revint de son long voyage. Il se réjouit du sort de sa fille et demeura avec elle. Vassilissa prit au palais la vieille femme qui lui avait donné asile ; elle garda sa poupée auprès d'elle jusqu'à la fin de sa vie.

Le Petit Poucet

Il était une fois un bûcheron et une bûcheronne qui avaient sept enfants tous garçons. L'aîné n'avait que dix ans, et le plus jeune n'en avait que sept. On s'étonnera que le bûcheron ait eu tant d'enfants en si peu de temps ; mais c'est que sa femme allait vite en besogne, et n'en faisait pas moins de deux à la fois. Ils étaient fort pauvres, et leurs sept enfants les gênaient beaucoup, parce que aucun d'eux ne pouvait encore gagner sa vie.

Ce qui les chagrinait aussi, c'est que le plus jeune était fort délicat et ne disait mot : ils prenaient pour bêtise ce qui était une marque de la bonté de son esprit. Il était fort petit, et quand il vint au monde, il n'était guère plus gros que le pouce, ce qui fit qu'on l'appela le petit Poucet. Ce pauvre enfant était le souffre-douleur de la maison, et on lui donnait toujours tort. Cependant, il était le plus fin et le plus avisé de tous ses frères, et, s'il parlait peu, il écoutait beaucoup.

Il vint une année très difficile, et la famine fut si grande que ces pauvres gens résolurent de se défaire de leurs enfants.

Un soir que ces enfants étaient couchés, et que le bûcheron était auprès du feu avec sa femme, il lui dit, le cœur serré de douleur :

– Tu vois bien que nous ne pouvons plus nourrir nos enfants ; je ne saurais les voir mourir de faim devant mes yeux, et je suis résolu d'aller les perdre demain au bois, ce qui sera bien aisé, car tandis qu'ils s'amuseront à faire des fagots, nous n'avons qu'à nous enfuir sans qu'ils nous voient.

– Ah ! s'écria la bûcheronne, pourrais-tu bien toi-même mener perdre tes enfants ?

Son mari avait beau lui représenter leur grande pauvreté, elle ne pouvait y consentir.

Elle était pauvre, mais elle était leur mère. Cependant, ayant considéré quelle douleur ce lui serait de les voir mourir de faim, elle y consentit, et alla se coucher en pleurant.

Le petit Poucet écouta tout ce qu'ils dirent, car ayant entendu de son lit qu'ils parlaient d'affaires, il s'était levé doucement, et s'était glissé sous l'escalier pour les écouter sans être vu. Il alla se recoucher et ne dormit point le reste de la nuit, songeant à ce qu'il avait à faire.

Il se leva de bon matin, et alla au bord d'un ruisseau où il emplit ses poches de petits cailloux blancs, et revint ensuite à la maison. On partit, et le petit Poucet ne dévoila rien de tout ce qu'il savait à ses frères. Ils allèrent dans une forêt fort épaisse, où à dix pas de distance on ne se voyait pas l'un l'autre.

Le bûcheron se mit à couper du bois et ses enfants à ramasser les brindilles pour faire des fagots. Le père et la mère, les voyant occupés à travailler, s'éloignèrent d'eux insensiblement, et puis s'enfuirent tout à coup par un petit sentier détourné.

Lorsque ces enfants se virent seuls, ils se mirent à crier et à pleurer de toute leur force.

Le petit Poucet les laissait crier, sachant bien par où il reviendrait à la maison ; car, en marchant, il avait

laissé tomber le long du chemin les petits cailloux blancs qu'il avait dans ses poches. Il leur dit donc :

– Ne craignez point, mes frères ; mon père et ma mère nous ont laissés ici, mais je vous ramènerai bien au logis, suivez-moi seulement.

Ils le suivirent, et il les mena jusqu'à leur maison par le même chemin qu'ils étaient venus dans la forêt. Ils n'osèrent d'abord entrer, mais ils se mirent tous contre la porte pour écouter ce que disaient leur père et leur mère.

Dès que le bûcheron et la bûcheronne arrivèrent chez eux, le seigneur du village leur envoya dix écus qu'il leur devait depuis longtemps, et qu'ils n'espéraient plus. Cela leur redonna la vie, car les pauvres gens mouraient de faim.

Le bûcheron envoya sur l'heure sa femme à la boucherie. Comme il y avait longtemps qu'elle n'avait mangé, elle acheta trois fois plus de viande qu'il n'en fallait pour le souper de deux personnes. Lorsqu'ils furent rassasiés, la bûcheronne dit :

– Hélas ! où sont maintenant nos pauvres enfants ? Ils feraient bonne chère de ce qui nous reste là. Mais aussi, Guillaume, c'est toi qui as voulu les perdre ; j'avais bien dit que nous nous en repentirions. Que font-ils maintenant dans cette forêt ? Hélas ! mon Dieu, les loups les ont peut-être déjà mangés ! Tu es bien inhumain d'avoir perdu ainsi tes enfants.

Le bûcheron s'impatienta à la fin, car elle redit plus de vingt fois qu'ils s'en repentiraient et qu'elle l'avait bien dit. Il la menaça de la battre si elle ne se taisait pas. Ce n'est pas que le bûcheron ne fût peut-être encore plus fâché que sa femme, mais elle lui cassait la tête ; il était de l'humeur de beaucoup d'autres gens, qui aiment fort les femmes qui disent bien, mais qui trouvent très importunes celles qui ont toujours bien dit.

La bûcheronne était tout le temps en pleurs :

– Hélas ! où sont maintenant mes enfants, mes pauvres enfants ?

Elle le dit une fois si haut que les enfants qui étaient à la porte, l'ayant entendu, se mirent à crier tous ensemble :

– Nous voilà, nous voilà !

Elle courut vite leur ouvrir la porte, et leur dit en les embrassant :

– Que je suis heureuse de vous revoir, mes chers enfants ! Vous êtes bien las, et vous avez bien faim ; et toi, Pierrot, comme te voilà crotté, viens que je te débarbouille.

Ce Pierrot était son fils aîné qu'elle aimait plus que tous les autres, parce qu'il était un peu roux, et qu'elle était rousse.

Ils se mirent à table, et mangèrent d'un appétit qui faisait plaisir au père et à la mère, à qui ils racontaient la peur qu'ils avaient eue dans la forêt, en parlant presque toujours tous ensemble.

Ces bonnes gens étaient ravis de revoir leurs enfants, et cette joie dura tant que les dix écus durèrent. Mais lorsque l'argent fut dépensé, ils retombèrent dans leur premier chagrin, et résolurent de les perdre encore, et pour ne pas manquer leur coup, de les mener bien plus loin que la première fois.

Bien qu'ils en aient parlé très secrètement, le petit Poucet les entendit encore.

Il pensa se sortir d'affaire comme il l'avait déjà fait ; mais quoiqu'il se fût levé de bon matin pour aller ramasser des petits cailloux, il trouva la porte de la maison fermée à double tour.

Il ne savait que faire, lorsque la bûcheronne leur ayant donné à chacun un morceau de pain pour leur déjeuner, il songea qu'il pourrait se servir de son pain au lieu de cailloux en le jetant par miettes le long des chemins où ils passeraient ; il le serra donc dans sa poche. Le père et la mère les menèrent dans l'endroit de la forêt le plus épais et le plus obscur, et dès qu'ils y furent, ils trouvèrent un prétexte et les laissèrent là.

Le petit Poucet ne s'en chagrina pas beaucoup, car il croyait retrouver aisément son chemin grâce au pain qu'il avait semé partout où il était passé ;

mais il fut bien surpris lorsqu'il ne put en retrouver une seule miette ; les oiseaux étaient venus qui avaient tout mangé.

Les voilà donc bien affligés, car plus ils marchaient, plus ils s'égaraient et s'enfonçaient dans la forêt. La nuit vint, et il s'éleva un grand vent qui leur faisait des peurs épouvantables. Ils croyaient n'entendre de tous côtés que des hurlements de loups qui venaient à eux pour les manger. Ils n'osaient presque pas se parler ni tourner la tête. Il survint une grosse pluie qui les transperça jusqu'aux os ; ils glissaient à chaque pas et tombaient dans la boue, d'où ils se relevaient tout crottés, ne sachant que faire de leurs mains.

Le petit Poucet grimpa en haut d'un arbre pour voir s'il ne découvrait rien ; ayant tourné la tête de tous côtés, il vit une petite lueur, comme celle d'une chandelle, mais qui était bien loin par-delà la forêt. Il descendit de l'arbre ; et lorsqu'il fut à terre, il ne vit plus rien. Cependant, ayant marché quelque temps avec ses frères dans la direction de la lumière, il la revit en sortant du bois.

Ils arrivèrent enfin à la maison où était cette chandelle, non sans bien des frayeurs, car souvent ils la perdaient de vue, ce qui leur arrivait toutes les fois qu'ils descendaient dans un creux. Ils frappèrent à la porte, et une femme vint leur ouvrir. Elle leur demanda ce qu'ils voulaient ; le petit Poucet lui dit qu'ils étaient de pauvres enfants qui s'étaient perdus dans la forêt, et qui demandaient à coucher par charité. Cette femme, les voyant tous si jolis, se mit à pleurer, et leur dit :

– Hélas ! mes pauvres enfants, où êtes-vous venus ? Savez-vous bien que c'est ici la maison d'un ogre qui mange les petits enfants ?

– Hélas ! madame, lui répondit le petit Poucet, qui tremblait de toute sa force aussi bien que ses frères, que ferons-nous ? Il est bien sûr que les loups de la forêt ne manqueront pas de nous manger cette nuit, si vous ne voulez pas nous accueillir chez vous. Et cela étant, nous aimons mieux que ce soit Monsieur qui nous mange ; peut-être qu'il aura pitié de nous, si vous voulez bien l'en prier.

La femme de l'ogre, pensant qu'elle pourrait les cacher à son mari jusqu'au lendemain matin, les laissa entrer et les mena se chauffer auprès d'un bon feu ; car il y avait un mouton tout entier à la broche pour le souper de l'ogre.

Comme ils commençaient à se chauffer, ils entendirent heurter trois ou quatre grands coups à la porte : c'était l'ogre qui revenait. Aussitôt, sa femme les fit cacher sous le lit et alla ouvrir la porte. L'ogre demanda d'abord si le souper était prêt, et si on avait tiré du vin, et aussitôt se mit à table. Le mouton était encore tout sanglant, mais il ne lui en sembla que meilleur. Il reniflait à droite et à gauche, disant qu'il sentait la chair fraîche.

– Il faut, lui dit sa femme, que ce soit ce veau que je viens de préparer que vous sentez.

– Je sens la chair fraîche, te dis-je encore une fois, reprit l'ogre en regardant sa femme de travers, et il y a ici quelque chose que je ne comprends pas.

En disant ces mots, il se leva de table et alla droit au lit.

– Ah, dit-il, voilà donc que tu veux me tromper, maudite femme ! Je ne sais à quoi il tient que je ne te mange aussi ; bien t'en prend d'être une vieille bête. Voilà du gibier qui me vient bien à propos pour honorer trois ogres de mes amis qui doivent me venir voir ces jours-ci.

Il les tira de dessous le lit l'un après l'autre. Ces pauvres enfants se mirent à genoux en lui demandant pardon ; mais ils avaient affaire au plus cruel

de tous les ogres, qui, bien loin d'avoir de la pitié, les dévorait déjà des yeux, et disait à sa femme que ce serait là de friands morceaux lorsqu'elle leur aurait fait une bonne sauce.

Il alla prendre un grand couteau, et en approchant de ces pauvres enfants, il l'aiguisait sur une longue pierre qu'il tenait à sa main gauche. Il en avait déjà empoigné un, lorsque sa femme lui dit :

– Que voulez-vous faire à l'heure qu'il est ? N'aurez-vous pas assez de temps demain matin ?

– Tais-toi, reprit l'ogre, ils en seront plus tendres.

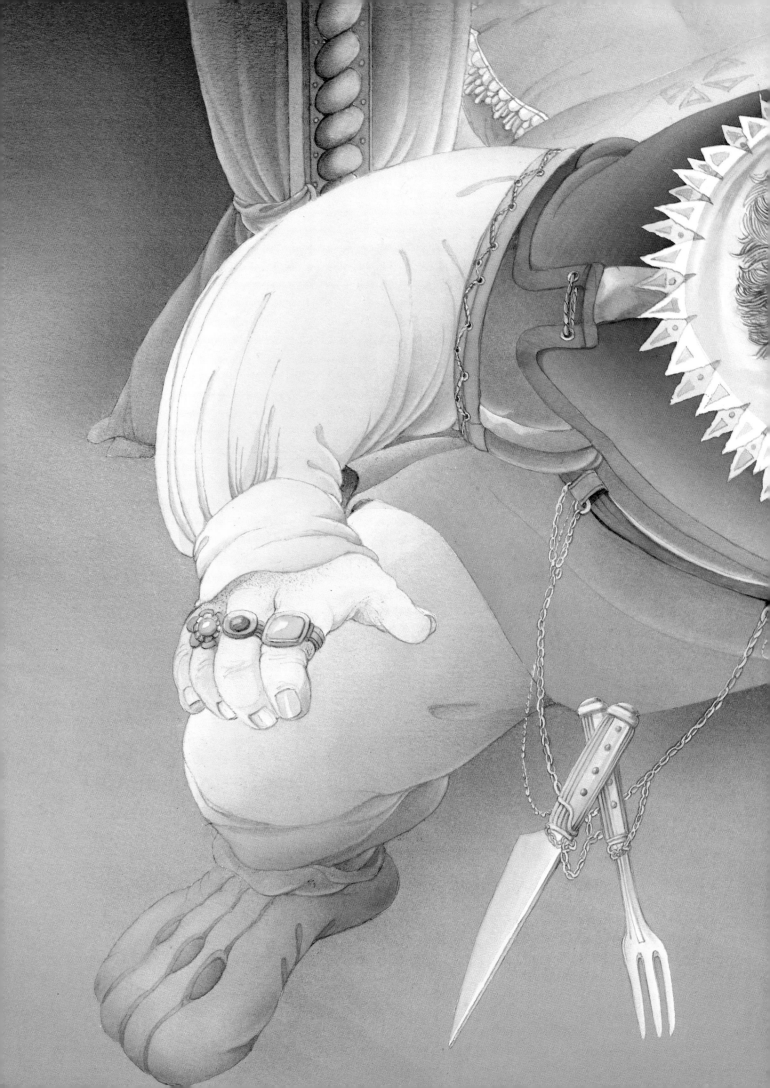

– Mais vous avez encore là tant de viande, reprit sa femme ; voilà un veau, deux moutons et la moitié d'un cochon !

– Tu as raison, dit l'ogre ; donne-leur bien à souper, afin qu'ils ne maigrissent pas, et va les mener coucher.

La bonne femme fut ravie, et leur porta bien à souper, mais ils ne purent rien manger tant ils étaient saisis de peur. Quant à l'ogre, il se remit à boire, ravi d'avoir de quoi si bien régaler ses amis. Il but une douzaine de coups de plus qu'à l'ordinaire, ce qui lui tourna un peu la tête, et l'obligea à aller se coucher.

L'ogre avait sept filles, qui n'étaient encore que des enfants. Ces petites ogresses avaient toutes le teint fort beau, parce qu'elles mangeaient de la chair fraîche comme leur père ; mais elles avaient de petits yeux gris et tout ronds, le nez crochu et une fort grande bouche avec de longues dents pointues et très éloignées l'une de l'autre. Elles n'étaient pas encore bien méchantes ; mais elles promettaient beaucoup, car elles mordaient déjà les petits enfants pour en sucer le sang.

On les avait fait coucher de bonne heure, et elles étaient toutes sept dans un grand lit, ayant chacune

une couronne d'or sur la tête. Il y avait dans la même chambre un autre lit de la même grandeur ; ce fut dans ce lit que la femme de l'ogre fit coucher les sept petits garçons ; après quoi, elle alla se coucher auprès de son mari. Le petit Poucet avait remarqué que les filles de l'ogre avaient des couronnes d'or sur la tête ; il craignait qu'il ne prît à l'ogre quelque remords de ne pas les avoir égorgés dès le soir même. Il se leva vers le milieu de la nuit, et, prenant les bonnets de ses frères et le sien, il alla tout doucement les mettre sur la tête des sept filles de l'ogre, après leur avoir ôté leurs couronnes d'or qu'il mit sur la tête de ses frères et sur la sienne, afin que l'ogre les prît pour ses filles, et ses filles pour les garçons qu'il voulait égorger.

La chose réussit comme il l'avait pensé ; car l'ogre, s'étant éveillé à minuit, regretta d'avoir différé au lendemain ce qu'il pouvait exécuter la veille ; il se jeta donc brusquement hors du lit, et, prenant son grand couteau :

– Allons voir, dit-il, comment se portent nos petits drôles.

Il monta donc à tâtons à la chambre de ses filles et s'approcha du lit où étaient les petits garçons, qui dormaient tous, excepté le petit Poucet, qui eut bien peur lorsqu'il sentit la main de l'ogre qui lui tâtait la tête, comme il avait tâté celles de tous ses frères. L'ogre sentit les couronnes d'or :

– Vraiment, dit-il, j'allais faire là un bel ouvrage ; je vois bien que j'ai trop bu hier soir.

Il alla ensuite au lit de ses filles, où, ayant senti les petits bonnets des garçons :

– Ah ! les voilà, dit-il, nos gaillards ! Travaillons hardiment.

En disant ces mots, il coupa sans plus attendre la gorge à ses sept filles. Fort content de cette expédition, il alla se recoucher auprès de sa femme.

Aussitôt que le petit Poucet entendit ronfler l'ogre, il réveilla ses frères, leur dit de s'habiller promptement et de le suivre. Ils descendirent doucement dans le jardin, et sautèrent par-dessus les murailles. Ils coururent presque toute la nuit, toujours en tremblant et sans savoir où ils allaient. L'ogre s'étant éveillé dit à sa femme :

– Va-t'en là-haut habiller ces petits drôles d'hier soir.

L'ogresse fut fort étonnée de la bonté de son mari, ne se doutant point de la manière qu'il entendait qu'elle les habillât et, croyant qu'il lui ordonnait

de les aller vêtir, elle monta et fut bien surprise lorsqu'elle aperçut ses sept filles égorgées et nageant dans leur sang. Elle commença par s'évanouir (car c'est le premier expédient que trouvent presque toutes les femmes en pareilles occasions).

L'ogre, craignant que sa femme ne fût trop longue à faire la besogne dont il l'avait chargée, monta pour l'aider. Il ne fut pas moins étonné que sa femme lorsqu'il vit cet affreux spectacle.

– Ah ! qu'ai-je fait là ? s'écria-t-il. Ils me le payeront, les malheureux, et tout de suite !

Il jeta aussitôt de l'eau dans le nez de sa femme et l'ayant fait revenir à elle :

– Donne-moi vite mes bottes de sept lieues, lui dit-il, afin que j'aille les attraper.

Il se mit en campagne et, après avoir couru bien loin de tous côtés, enfin il entra dans le chemin où marchaient ces pauvres enfants qui n'étaient plus qu'à cent pas du logis de leur père. Ils virent l'ogre qui allait de montagne en montagne, et qui traversait des rivières aussi aisément qu'il aurait fait du moindre ruisseau. Le petit Poucet, qui vit un rocher creux proche du lieu où ils étaient, y fit cacher ses six frères, et s'y fourra aussi, regardant toujours ce que l'ogre deviendrait. L'ogre, qui se trouvait fort

las du long chemin qu'il avait fait inutilement (car
les bottes de sept lieues fatiguent fort leur homme),
voulut se reposer, et, par hasard, il alla s'asseoir sur
la roche où les petits garçons s'étaient cachés.
Comme il n'en pouvait plus de fatigue, il s'endormit
après s'être reposé quelque temps, et vint à ronfler
si effroyablement que les pauvres enfants n'en eurent pas moins peur que quand il tenait son grand
couteau pour leur couper la gorge. Le petit Poucet,
lui, fut moins effrayé, et dit à ses frères de s'enfuir

promptement à la maison pendant que l'ogre dormait bien fort, et qu'ils ne s'inquiètent pas pour lui. Ils suivirent son conseil, et gagnèrent vite la maison. Le petit Poucet, s'étant approché de l'ogre, lui tira doucement ses bottes, et les mit aussitôt. Les bottes étaient fort grandes et fort larges ; mais, comme elles étaient fées, elles avaient le don de s'agrandir et de se rapetisser selon la jambe de celui qui les chaussait, de sorte qu'elles se trouvèrent aussi justes à ses pieds et à ses jambes que si elles avaient été faites pour lui.

Il alla droit à la maison de l'ogre où il trouva sa femme qui pleurait auprès de ses filles égorgées.

– Votre mari, lui dit le petit Poucet, est en grand danger ; car il a été pris par une troupe de voleurs qui ont juré de le tuer s'il ne leur donne tout son or et tout son argent. Alors qu'ils lui tenaient le poignard sur la gorge, il m'a aperçu et m'a prié de vous venir avertir de l'état où il est, et de vous dire de me donner toute sa fortune sans rien garder, parce que autrement ils le tueront sans miséricorde. Comme la chose presse beaucoup, il a voulu que je prenne ses bottes de sept lieues que voilà pour faire vite, et aussi afin que vous ne croyiez pas que je suis un menteur.

La femme fort effrayée lui donna aussitôt tout ce qu'elle avait : car cet ogre était un fort bon mari, quoiqu'il mangeât les petits enfants.

Le petit Poucet, étant donc chargé de toutes les richesses de l'ogre, s'en revint au logis de son père, où il fut reçu avec bien de la joie.

N° d'éditeur 10030479
I (25)CSBN 115°
Octobre 1995
Imprimé en Espagne par Fournier A. Gráficas, S.A.-Vitoria
ISBN 2.09.222018-7